Günter F. Gross Checklist Kommunikation

Günter F. Gross
Checklist Kommunikation

12. Auflage

verlag
moderne industrie

Die Deutsche Bibliothek – CIP-Einheitsaufnahme

Gross, Günter F.
Checklist Kommunikation/Günter F. Gross
– Landsberg am Lech: verlag moderne industrie,
1991.
ISBN 3-478-33642-2

12. Auflage 1991
11. Auflage 1991
10. Auflage 1989
9. Auflage 1986
8. Auflage 1985
7. Auflage 1984
6. Auflage 1983
5. Auflage 1980
4. Auflage 1979
3. Auflage 1979
2. Auflage 1978

Umschlaggestaltung: Hendrik van Gemert, 8915 Fuchstal-Leeder
Satz: abc Fotosatz GmbH, 8938 Buchloe
Druck: Schongauer Druckservice, 8920 Schongau
Bindearbeiten: Thomas-Buchbinderei, 8900 Augsburg
Printed in Germany 330642/1191153
ISBN 3-478-33642-2

Vorwort

Viele Persönlichkeiten mit außergewöhnlichen Kenntnissen im Fachlichen verfügen auf dem Gebiet der Kommunikation nicht über die gleiche Professionalität. Sie sind Besitzer, aber keine Beweger. Sie wissen viel, können aber andere damit weniger schnell so in Bewegung bringen, wie sie sich das wünschen.

Sie schätzen sehr realistisch ein, welche Anstrengung und welche Professionalität erforderlich sind, um fachlich ein Können der Spitzenklasse zu erreichen. Sie erkennen zu wenig, daß diese Notwendigkeit der Anstrengung für alle Funktionen der Kommunikation gleichermaßen gilt.

Informieren ist Senden. Es wird viel gesendet und zu wenig auf den Empfänger Rücksicht genommen.
Es wird zu viel verfaßt und zu wenig erfaßt.
Es gehen zu viele Nachrichten ab und es kommen zu wenige an. Es gibt eine Über-Information und eine Unter-Kommunikation.

Kommunikation geht vom Empfänger aus. Er steht im Mittelpunkt. Er bestimmt den Inhalt, die Struktur, die Form und das Umfeld der Sendung. Kommunikation stellt einen guten Empfang sicher. Das Ankommen der Botschaft ist wichtig und nicht nur das Ansehen und die Bedeutung des Senders.

Es gibt Kooperationspartner, mit denen ist jede Zusammenarbeit ein Gewinn. Sie behindern nicht, sie verwirren nicht, sie bremsen nicht, sie lähmen nicht, sie stehlen einem nicht die Zeit. Sie machen es einem leicht voranzukommen und können das, weil sie Meister der Kommunikation sind.

Jeder, der andere bewegen will oder etwas für andere bewegen will, schafft das nur, wenn er die Regeln einer erfolgreichen Kommunikation beherrscht. Gute Kommunikation bewirkt mehr, als andere zu beeindrucken. Ihr Ziel besteht vielmehr darin, anderen die Fähigkeit zu liefern, schnell und mühelos die von ihnen angestrebten Ziele zu erreichen. Wer anderen mit Hilfe seiner Kommunikationskunst dieses Können liefert, wird selber automatisch erfolgreich sein und ein gesuchter Partner.

Die Abhebung von Mitbewerbern auf den Gebieten Qualität und Preis wird immer schwieriger und kostspieliger. Ein Gebiet jedoch, auf dem sich jeder Anbieter von Erzeugnissen und Dienstleistungen mit informationsbezogenem Servicedenken, mit Ideenreichtum und Gestaltungskraft beeindruckend abheben kann, ist die Kommunikation.

Kunden lassen sich leiten von Motiven, wie dem Streben nach Sicherheit, Bequemlichkeit, Wertschätzung, menschlichem Verhalten und Wirtschaftlichkeit. Viele dieser motivbezogenen Forderungen lassen sich mit einer besseren Kommunikation erfüllen.

Für den Erfolg des professionell Handelnden gibt es deshalb zwei gleichwertige Säulen – inhaltliche Leistung und die dazu gehörende Kommunikation.

Mit der inhaltlichen Leistung allein ist kein Staat mehr zu machen! Man muß vielmehr Tag für Tag seine Kommunikationsfähigkeit und Kommunikationsleistung verbessern.

Die „CHECKLIST KOMMUNIKATION" liefert Ihnen die Regeln und Methoden, mit deren Hilfe Sie andere voranbringen und selber vorankommen.

Wenn Sie registrieren, was unzulängliche Kommunikation anrichtet, dann sehen Sie anschaulich, wieviel eine meisterhafte Kommunikation bewirken kann:

- Sie erleichtert das Vorankommen und hilft Zeit gewinnen.
- Sie schaltet Fehler aus und hilft Ärger vermeiden.
- Sie liefert Bequemlichkeit und Sicherheit.
- Sie macht Teamarbeit möglich und verwandelt Partner in Freunde.

Führen ist Realisieren über den Einsatz anderer. Führung ohne Kommunikation ist nicht möglich. Gute Führungskräfte sind Kommunikations-Experten.

Verkaufen ist Führen ohne Anweisungsbefugnis. Verkaufen ist Führen mittels meisterhafter Kommunikation. Gute Verkäufer sind Kommunikations-Experten.

Sie finden in diesem Buch Checklisten mit konkreten, detaillierten Empfehlungen für die wichtigsten Kommunikations-Aufgaben:

- Meisterhafte Rhetorik
- Professionelle Verhandlungs- und Überzeugungstechnik
- Kommunikation zwischen Chef und Mitarbeitern
- Ergiebige Konferenzen
- Mustergültige Telefonate

Alle Empfehlungen sind Ergebnisse von Jahrzehnten der Praxisforschung. Sie entstammen der Analyse des Erfolges beeindruckender Persönlichkeiten.

Inzwischen gilt die „CHECKLIST KOMMUNIKATION“ als das Standardwerk für alle Aufgaben der persönlichen Kommunikation.

München, im November 1991 *Günter F. Gross*

Inhaltsverzeichnis

Teil 1: Meisterhafte Rhetorik

Teil 2: Professionelle Verhandlungs- und Überzeugungstechnik

Teil 3: Die Kommunikation zwischen Chef und Mitarbeitern

Teil 4: Ergiebige Konferenzen

Teil 5: Mustergültige Telefonate

Teil 1: Meisterhafte Rhetorik

Inhaltsverzeichnis

1. Die Vorbereitung Ihrer Vorträge

1. Reden Sie nur, wenn Sie wirklich etwas Außergewöhnliches zu bieten haben. Werden Sie ein Meister der Qualität und nicht der Quantität.
2. Halten Sie weniger Vorträge, dann können Sie den einzelnen Vortrag auch besser vorbereiten.
   Ein Vortrag von Ihnen muß ein außerordentliches Ereignis sein.
3. Unterschätzen Sie nicht die Zeit, die Sie für die Vorbereitung eines meisterhaften Vortrages benötigen.
   Keine Woche vergeht so schnell, wie die Woche vor einem Vortrag.
   In keiner Woche kommen so viele unvorhergesehene Probleme auf Sie zu wie in der Woche vor Ihrem Vortrag.
   Es sieht so aus, als hätte es die gesamte Welt darauf angelegt, Ihnen die Zeit und die Stimmung für Ihre Vortragsvorbereitung zu nehmen.
4. Planen Sie also die Vorbereitung Ihres Vortrages gründlich. Legen Sie in Ihrem Terminkalender Anti-Termine fest. Blockieren Sie Zeitabschnitte, in denen Sie ungestört Ihren Vortrag vorbereiten können.
5. Lehnen Sie den Vortrag ab oder vereinbaren Sie einen späteren Termin, wenn Sie nicht die Zeit haben, Ihren Vortrag gründlich vorzubereiten.
   Belügen Sie sich nicht selber hinsichtlich Ihrer zeitlichen Möglichkeiten. Machen Sie sich keine Illusionen!
6. Fangen Sie so früh wie möglich an sich vorzubereiten. Schieben Sie es nicht auf.
   Tun Sie nicht so, als hätten Sie noch genügend Zeit.
   Bereiten Sie sich nicht in letzter Minute vor, sonst beginnen Sie Ihren Vortrag zu hassen. Wenn Sie ihn dann später halten, werden das Ihre Zuhörer merken
7. Je früher Sie mit der Vorbereitung anfangen, um so enthusiastischer sehen Sie die ganze Aufgabe.
8. Teilen Sie Ihren Vortrag auf und setzen Sie sich bei der Vorbereitung Etappen-Ziele. Dann steht nicht eine meterhohe Wand vor Ihnen, sondern eine kleine Anzahl niedriger Stufen, die Sie bequem nehmen können.
   Wenn Sie ein Vortrags-Manuskript von 40 Seiten brauchen, dann sind das in Wirklichkeit 8 mal 5 Seiten, die Sie zu erarbeiten haben.
9. Wenn Sie häufiger Vorträge zu halten haben, dann muß die Vorbereitung auf Vorträge ein regelmäßiger Bestandteil Ihrer täglichen Arbeit werden.
10. Sie sollten dann täglich interessantes Material sammeln, das Sie in zukünftigen Vorträgen gebrauchen können.
11. Ein Berufsleben dauert etwa 40 Jahre. Überlegen Sie bitte, welches interessante Material hier für den Gebrauch in Vorträgen anfällt.
    Wenn Sie jeden Tag nur eine halbe Stunde einem bestimmten Thema widmen, werden Sie einer der größten Experten für dieses Thema überhaupt.

12. Zur bequemen und rationellen Vorbereitung von Vorträgen gehört also Ihre tägliche Praxisforschung und Praxisauswertung.
Sie sollten sammeln und festhalten:
a) Erlebnisse
b) Erkenntnisse
c) Gelesenes
d) Beispiele (Geschichten)
13. Geschichten sind die Vitamine für den Vortrags-Organismus.
Ein überdurchschnittlicher Redner ist immer ein meisterhafter Geschichten-Erzähler.
Er besitzt, wie die Amerikaner sagen, „story telling qualities".
14. Sie brauchen ein Instrument, auf dem Sie die Ergebnisse Ihrer Praxisforschung und Praxisauswertung festhalten.
Dieses Instrument muß Ihnen außerordentlich sympathisch sein. Sie müssen gerne damit arbeiten.
Bestimmen Sie also, was Sie dafür nehmen wollen –
a) DIN A 4 Bogen
b) DIN A 5 Bogen
c) DIN A 6-Karten
Besonders gut bewährt hat sich das Format DIN A 5.
15. Richten Sie sich eine Praxis-Kartei oder Ideen-Kartei ein. Das ist Ihr Wissens-Speicher. Gliedern Sie diese Kartei nach den Sachgebieten, für die Sie täglich auf der Jagd nach interessantem Material sind.
16. Ein anderes Speicher-Instrument für Sie ist eine gut gegliederte Hängeregistratur mit Hängemappen.
17. Manche schätzen als Wissens-Speicher für sich auch gut gegliederte Ordner oder Ringbücher.
Alle diese Instrumente dienen der bequemen Speicherung von Material für zukünftige Vorträge überhaupt.
Aber auch für die direkte Vorbereitung eines einzelnen Vortrages sollten Sie ein gut gegliedertes Speicher-System einsetzen.
Sie zerlegen Ihren Vortrag in einzelne Teile. Die Bezeichnung des einzelnen Abschnittes kommt auf die Leitkarte einer Vorbereitungskartei. Die Leitkarten der gesamten Vorbereitungs-Kartei sind also identisch mit den Abschnitten Ihres Vortrages.
Sie brauchen dann nur noch einzelne Vortrags-Bauelemente, die Sie gewinnen, hinter die entsprechende Themen-Leitkarte zu legen.
Später werden die Bauelemente eines Vortragsabschnittes sortiert und Sie haben Ihr Manuskript fast fertig.
18. Entwickeln Sie Ihren Quellen-Erschließungstrieb. Es gibt nicht viele Menschen mit hoher Kreativität im Entdecken und im Erschließen von Quellen.
Seien Sie ständig wach und aufnahmebereit für das Entdecken neuer Ideen- und Materialquellen.
Sie müssen über bessere Quellen verfügen als andere. Die Kenntnis einer guten Material-Quelle ist die halbe Vorbereitung Ihres Vortrages.
19. Führen Sie eine Quellen-Liste. Ergänzen Sie diese laufend.
20. Stellen Sie den Kontakt her zu den besten Quellen, die es gibt.

21. Legen Sie in Ihrem Zeit-Etat die Zeit fest, die Sie wöchentlich und monatlich einsetzen wollen, um
    a) nach Quellen zu forschen
    b) Kontakte zu diesen Material-Quellen herzustellen
    c) Kontakte zu pflegen
    d) selber Material an diese Quellen zu liefern.
    (Wer selber nichts gibt und immer nur nehmen will, der bekommt langfristig nichts mehr. Manche Pumpe gibt erst dann Wasser, wenn man ihr etwas Wasser gegeben hat.)
    e) sich für das erhaltene Material angemessen zu bedanken.
22. Legen Sie fest, warum Sie mit einzelnen Material-Quellen zusammenarbeiten wollen und was Sie aus der jeweiligen Quelle besonders intensiv gewinnen wollen.
23. Sorgen Sie dafür, daß der Zufluß von Ideen von diesen Quellen her auf Sie hin organisiert wird. Lassen Sie sich auf die Verteilerliste nehmen.
    Es muß für die Quelle bequem sein, Sie mit Anregungen zu versorgen.
24. Bezahlen Sie das Material, das Sie bekommen, großzügig. Seien Sie nicht kleinlich.
    Wer auf die billige Tour den Ideenreichtum anderer versucht abzukassieren, schafft sich in kürzester Zeit ein eindeutiges Image.
    Wenn er sich nähert, verbirgt sich die Quelle.
25. Nehmen Sie den Ideenstrom einer Quelle nicht teilnahmslos oder mürrisch entgegen.
    Machen Sie nicht laufend Wasserproben, um der Quelle mitzuteilen, welche Lieferungen wertlos oder giftig sind.
    Die Quelle wird dann sehr schnell versiegen.
26. Es gibt Gesetze für den Umgang mit kreativen Persönlichkeiten, die Sie als Ideen- und Materialquelle nutzen wollen.
    Je höflicher, liebenswürdiger, optimistischer und begeisterter Sie sich verhalten, um so stärker wird die Quelle für Sie sprudeln und Sie mit Anregungen versorgen.
27. Quellen-Vergifter sind die schlechtesten Vortragenden überhaupt. Sie können sich nicht begeistern und können deshalb auch keinen anderen begeistern.
28. Stellen Sie für sich eine Liste der Persönlichkeiten zusammen, von denen Sie besonders stark stimuliert werden und besonders viele Anregungen empfangen.
    Welche Persönlichkeiten gehören auf diese Liste?
    a) Kollegen
    b) Mitarbeiter
    c) Vorgesetzte
    d) Kunden
    e) Lieferanten
    f) Wettbewerber
    g) Autoren
    h) Berater
    i) Vortragende
    j) andere Persönlichkeiten
29. Welche Zeitungen, Zeitschriften und Bücher geben Ihnen am meisten?

30. Machen Sie eine Liste der Zeitungen und Zeitschriften, die Sie regelmäßig intensiv auswerten wollen.
Legen Sie fest, welche Zeitungen und Zeitschriften Sie nicht mehr studieren wollen.

31. Erarbeiten Sie einen langfristigen Leseplan für sich und stellen Sie einen Leseplan für jedes Vierteljahr auf.

32. Hören Sie sich fremde Vorträge viel bewußter an. Analysieren Sie das Verhalten von Sprechern in jeder Konferenz.
Bewerten Sie fremde Vorträge und Konferenz-Beiträge.
Was war hinsichtlich Inhalt und Form positiv, was war unzweckmäßig?

33. Analysieren Sie Ihre eigenen Vorträge. Tun Sie das mit einer Beurteilungs-Checkliste, wie sie in diesem Buch enthalten ist.
Jeder Vortrag ist ein Drei-Stufen-Projekt.
a) Die Vorbereitung
b) Der Vortrag selber
c) Seine Beurteilung, Bewertung und Nutzung für zukünftige Vorträge.
Die anschließende Bewertung ist also Standardteil eines jeden Vortrages.

34. Organisieren Sie sich dafür, immer aufnahmebereit, schreibbereit, registrierbereit zu sein.
Führen Sie ständig ein Taschen-Diktiergerät bei sich oder ein Ringbuch, um Einfälle und Erlebnisse für zukünftige Vorträge festzuhalten.

35. Lassen Sie keine guten Einfälle, Beobachtungen, Erkenntnisse, Anregungen und Informationen verloren gehen.
Es sind die Goldkörner für Ihre Vorträge!

36. Seien Sie sich ständig der Themen bewußt, für die Sie eines Tages Material brauchen werden.
Welche Themen sind kurz- oder langfristig für Sie von Bedeutung? Für welche Themen haben Sie also kontinuierlich auf Beobachtungsposten zu stehen?

37. Betrachten Sie sich als eine Fabrik für die Produktion von interessanten Vortragsstoffen.
Diese Fabrik müssen Sie laufend mit Rohstoffen für die Herstellung von Vortrags-Aussagen beliefern.

38. Das, was Sie sich aufschreiben, schreiben Sie es ordentlich und lesbar auf.
Wenn Sie etwas gut lesbar aufschreiben, kostet Sie das mehr Zeit.
Dieser Zeitverlust wird jedoch dadurch wettgemacht, daß Sie Ihre Gedanken in der kürzest möglichen Form festhalten.
Das langsamere, saubere Schreiben gibt Ihnen die Möglichkeit, bessere Texte zu formulieren. Wer langsamer schreibt, braucht weniger zu schreiben!

39. Halten Sie Ihre Gedanken nicht nur in Schriftform fest.
Zeichnen Sie Ihre Einfälle, anstatt sie nur aufzuschreiben. Registrieren Sie Ihre Gedanken bildlich, mit Symbolen, mit Formeln, tabellarisch, in Form von Übersichten, als Strichzeichnungen.
Wenn Sie Ihre Gedanken in dieser Form registrieren, gehen sie in Ihr Langzeit-Gedächtnis ein. Das nur geschriebene Wort begibt sich hingegen in das Kurzzeit-Gedächtnis.
Das Gezeichnete nehmen Sie langfristig in geistigen Besitz.

40. Verarbeiten Sie den Stoff für Ihren Vortrag geistig. Schenken Sie ihm genügend Zeit. Schenken Sie ihm Liebe und Zuneigung.
Machen Sie sich den Vortragsstoff wirklich zu eigen.
Lassen Sie ihn völlig bei sich eindringen.
Sie sprechen dann später nicht über ein Thema, sondern Ihre gesamte Persönlichkeit gibt ein Thema von sich.

41. Sie müssen Ihre Zuhörer mit Ihren eigenen Überzeugungen, Erlebnissen, Erfahrungen und Beispielen begeistern.
Nichts macht einen Redner so glaubwürdig, überzeugend und interessant, wie gut verarbeitete, persönliche Erfahrungen.
Selbstverständlich muß natürlich sein, daß diese Erfahrungen eingebettet werden in den Rahmen der verarbeiteten Erfahrungen vieler anderer.
Ein Vortragender der ausschließlich seine eigene Praxis zur Basis einer Theorie macht, ist schlimm.
Abgesehen davon, ist seine Originalität häufig kaum etwas anderes, als mangelnde Kenntnis der Quellen.
In diesem Fall gehört er zu den Rednern, die zu viel reden und zu wenig lesen.

42. Werten Sie Aufzeichnungen aus, die sich schon lange in Ihrem Besitz befinden. Sehen Sie die Notizen durch, die Sie vor zehn Jahren gemacht haben.
In mancher Hinsicht und auf bestimmten Gebieten waren Sie früher viel weiter und viel besser, als Sie es jetzt vielleicht sind.
Machen Sie sogenannte „Versicker-Tests". Ihre Fragestellung lautet: „Wie gut waren wir schon einmal - welches Niveau hatte ich selber schon einmal erreicht?"
„Was ist mir an professionellem Verhalten inzwischen wieder abhanden gekommen?"

43. Jeder gute Vortrag besteht aus einem Mosaik von einzelnen Elementen.
Für einen farbigen Vortrag brauchen Sie viele unterschiedliche Bausteine.

44. Sie brauchen Beispiele aus Ihrer eigenen Praxis und aus der Praxis Ihrer Zuhörer.

45. Sie brauchen interessante Fakten.

46. Faszinierende, verblüffende Zahlen.

47. Rhetorische Fragen.

48. Zitate

49. Relevante Erfolgsfaktoren.

50. Humorvolle Aussagen.

51. Vergleiche! Mit diesen können Sie das Neue, das Sie bringen, mit dem Bekannten für Ihre Zuhörer verknüpfen.
Sie können dadurch Ihre Zuhörer einfacher für das Neue gewinnen. Mit Hilfe von Vergleichen zeigen Sie das Neue im vertrauten Gewand.

52. Sie brauchen gute Formulierungen, die bildhafte Vorstellungen auslösen und haften bleiben.

53. Sie benötigen zündende Begriffe, die Ihren Zuhörern einen neuen Ausblick eröffnen, einen neuen Standpunkt vermitteln, die sich einprägen und die Ihre Zuhörer in ihren eigenen Sprachschatz aufnehmen.
Begriffe sind die Vorboten von Taten. Vor der Tat kommt die Deklarierung. Kein Programm ohne Namen! Keine Aktion ohne Bezeichnung!

54. Sie sollten Begriffe aus anderen Bereichen und Branchen holen. Dies ist eine der verblüffendsten Methoden für die Ideengewinnung.
Bereiche, Disziplinen, Branchen, die über Begriffe verfügen, die wir bei uns nicht haben, verfügen auch über Grundsätze, Einsichten, Methoden, Maßnahmen, Werkzeuge, über die wir noch nicht verfügen.
Welche ideenauslösenden Begriffe kann beispielsweise der medizinische Bereich an die Wirtschaft liefern:
a) Risikofaktoren
b) Nebenwirkungen
c) Interaktionen
d) Mehrschritt-Therapie
e) Anamnese
f) Vorsorge - Nachsorge
g) Unterdosierung
h) Therapie-Kontrolle
i) Intoxikationen
j) Schrittmacher
k) Amputation
l) Intensivstation
m) Immunreaktion
n) Indikatorreaktion

55. Sammeln Sie als Bausteine für Ihre Vorträge Ungewöhnliches in gewöhnlichen Nachrichten und Ereignissen.
Sie beeindrucken, wenn Sie etwas Außergewöhnliches präsentieren. Sie beeindrucken weit mehr, wenn Sie etwas Außergewöhnliches über Gewöhnliches bringen.
Interessant ist es für Ihre Zuhörer, wenn Sie etwas Neues bringen. Viel interessanter ist es, wenn Sie etwas bringen, was Ihre Zuhörer eigentlich seit Jahren wissen müßten, worauf Sie aber noch nie gekommen sind.

56. Sammeln Sie Material, das Sie zeigen können.
Ein guter Vortrag besteht nicht nur aus Worten, sondern auch aus Bildern und aus Gegenständen.

57. Sie müssen ein Meister werden für die Umwandlung verbaler Aussagen in visuelle. Sie müssen Worte in Bilder verwandeln können und Bilder in Gegenstände.
Sie müssen von drei Seiten kommen. Mit Worten, mit Bildern, mit Gegenständen!

58. Legen Sie fest, welche Aussagen visuell überzeugender zu bringen sind als mit Worten. Erarbeiten Sie die Texte und die graphischen Darstellungen für Transparente für den Tageslichtprojektor oder für Diapositive.

59. Schreiben Sie Ihren Vortrag nicht nur, sondern zeichnen Sie ihn auch. Erarbeiten Sie einen Vortrag bestehend aus Text und einer Symbolik, die Ihre einzelne Aussage im einfachsten Kern verdeutlicht.

60. Erarbeiten Sie Aussagen und Maßnahmen, um sich an das Gefühl Ihrer Zuhörer zu wenden.
Wenn Sie versuchen wollen, ausschließlich den Verstand anzusprechen, dann verzichten Sie besser ganz auf Ihren Vortrag.
Erst einmal haben Sie die Zuhörer für sich zu gewinnen. Erst dann können Sie anfangen, die Zuhörer für Ihre Argumente zu gewinnen.
Erst einmal haben Sie eine positive Einstellung zu bewirken. Erst dann sind Ihre Zuhörer überhaupt aufnahmefähig und aufnahmebereit. Vorher herrscht Empfangs-Blockade.

61. Sie kommen nicht darum herum, Sie brauchen Stoff und Maßnahmen, um das Gefühl anzusprechen. Sie brauchen hierfür ein komplettes Programm!

62. Sammeln Sie Ideen dafür, Ihre Zuhörer in Ihrem Vortrag mithandeln zu lassen. Überlegen Sie, wie Sie Ihre Zuhörer aktivieren und mit einbeziehen können.

63. Geben Sie sich bei der Vorbereitung Ihrer Vorträge nicht mit mittelmäßigen Bauelementen zufrieden.
Seien Sie nur mit dem Besten zufrieden. Werfen Sie alles andere hinaus. Leisten Sie sich keine Mittelmäßigkeit.

64. Geröll und Erz sind keine fertigen Erzeugnisse für einen Vortrag. Selbst Diamanten reichen nicht aus. Brillanten werden gebraucht. Die haben den richtigen Schliff.
Die richtige Anordnung ist wesentlich. Ein Vortrag ist nicht eine ungeordnete Sammlung einzelner Brillanten sondern ein gut gestaltetes Schmuckstück.
Die Anordnung, die Reihenfolge spielt eine bedeutende Rolle.
Bei der Vorbereitung eines Vortrages sind Sie also nicht nur Bergarbeiter in verschiedenen Diamanten-Minen und Diamantenschleifer, sondern Juwelier!

65. Für Ihr Vortragsmanuskript brauchen Sie nicht eine erdrückende Fülle von Rohstoffen sondern hervorragend verarbeitetes Material.
Sie brauchen nicht 10 Kilogramm Rohstoffe, sondern ein meisterhaftes Schmuckstück im Gewicht von 100 Gramm.
Ihr Vortrag ist erst dann gut, wenn sich nichts mehr streichen läßt. Je besser Ihre Vorbereitung ist, um so überzeugender, präziser, kürzer und begeisternder können Sie sprechen.

66. Arbeiten Sie Ihre zentralen Aussagen genau aus. Sie müssen außerordentlich präzise und verständlich gebracht werden.
Wie lautet beim jeweiligen Vortragsteil Ihre zentrale, grundsätzliche Botschaft, die Sie unbedingt und unmißverständlich vermitteln wollen?

67. Überlegen Sie bei der Vorbereitung genau –
a) von welchen Motiven lassen sich Ihre Zuhörer leiten?
b) welche Kenntnisse haben sie?
c) welche Erfahrungen?
d) welche Vorbehalte - welche Einstellung generell?
e) welche Probleme?
f) welche Wünsche?
g) welche Begeisterungsfähigkeit?
h) welchen Säuregrad?
i) welches geistige Niveau?

68. Welche Ziele streben Ihre Zuhörer an?

69. Welche Informationen erwarten Ihre Zuhörer auf jeden Fall von Ihnen? Weshalb kommen Sie überhaupt, um sich Ihren Vortrag anzuhören? Warum investieren sie hierfür ihre wertvolle Zeit?

70. Schreiben Sie sich die Fragen auf, die Ihre Zuhörer wahrscheinlich an Sie haben werden. Bereiten Sie die Antworten darauf vor!

71. Welche Aussagen wollen Ihre Zuhörer selber los werden? Bereiten Sie Ihren Vortrag so vor, daß Sie auf diese Aussagen eingehen können, ohne daß ein Zuhörer sie bereits gebracht hätte.
Zuhörer sind begeistert und vor allem entspannt, wenn sie merken, daß der Vortragende ausführlich auf das eingeht, wozu sie von ihm unter allen Umständen eine Stellungnahme fordern wollten.

72. Um es noch einmal zu sagen: Mit welchen Informationen können Sie diesem Zuhörerkreis am meisten helfen?
Mit welchen Fragen, Einwänden, Schwierigkeiten müssen Sie rechnen?
Was können Sie vorbeugend dafür tun?

73. Legen Sie schriftlich die Ziele Ihres Vortrages fest. Welche Einstellung, welches Wissen, welches Handeln erwarten Sie von Ihren Zuhörern nach dem Vortrag?

74. Gestalten Sie Ihre einzelnen Vortragsteile so, daß Sie ein Thema oder einen Punkt zusammengefaßt und in einem Zug zu Ende behandeln können.
Es ist grundfalsch, in der Mitte eines Themas aufzuhören und immer wieder darauf hinzuweisen, daß man später, im weiteren Verlauf des Vortrages, auf den Punkt noch einmal zurückkommen würde, ihn ergänzen würde, ihn zu Ende behandeln würde.

75. Bereiten Sie sich so vor, daß Sie unbedingt frei sprechen können und nicht ganze Sätze aus Ihrem Manuskript ablesen müssen.
Ein Vortragender ist ein Vordenkender und nicht ein Vorlesender.

76. Prüfen Sie kritisch, welche Zeit Ihnen wirklich für Ihren Vortrag zur Verfügung stehen wird.
   a) Werden Sie die Zeit, die man Ihnen genannt hat, auch wirklich bekommen?
   b) Was müssen Sie von dieser Zeit an Pausen abziehen? Werden die Pausenzeiten wirklich eingehalten oder überschritten?
   c) Wann können Sie wirklich mit Ihrem Vortrag beginnen?
   d) Besteht die Gefahr, daß vor Ihnen ein Vortrags-Chaote spricht, der Ihnen einen Teil Ihrer Vortragszeit stiehlt, Ihre Zuhörer verwirrt, negativ stimmt und Ihre Empfangsfähigkeit mindert?

77. Was werden Sie tun, wenn Sie anstelle von zwei Stunden auf einmal nur eine Stunde für Ihren Vortrag bekommen? Wie werden Sie sich verhalten? Was werden Sie dann nicht bringen?

78. Sie kennen nun also die Zeit, die Sie für Ihren Vortrag haben. Sie kennen Ihre Vortragsziele.
Sie kennen Ihren Zuhörerkreis.
Gehen Sie davon aus und legen Sie zahlenmäßig fest, welche Bausteine der einzelnen Kategorie Sie für Ihren Vortrag benötigen – zum Beispiel:
a) Zehn verblüffende Fakten
b) Fünf wichtige Zahlen
c) Sechs anschauliche Beispiele
d) Fünf relevante Erfolgsfaktoren
e) Zwei Zitate
f) Drei humorvolle Bemerkungen...

79. Diktieren oder schreiben Sie die Aussagen Ihres Vortrages auf einzelne Zettel oder Karten (Format DIN A 6).
Wenn Sie dies nicht wollen, sondern A 4 Bogen verwenden, dann lassen Sie zwischen den Absätzen sehr viel Platz.
Später können Sie die Zettel oder Karten sortieren oder die Bogen so zerschneiden, daß die einzelnen Absätze sortierbar werden.
Sortieren Sie diese Teile in der richtigen Reihenfolge. Kleben Sie das, was auf einen Bogen gehört, zusammen. Legen Sie den montierten Bogen auf Ihre Kopiergerät. Die Kopie die dann entsteht, ist bereits eine Manuskriptseite.
Ihr Kopiergerät ist für die bequeme, zeitsparende Vorbereitung eines Vortrages genauso wichtig, wie eine Schreibmaschine. Ein Kopiergerät ist eines der besten Werkzeuge für die geistige Arbeit überhaupt. Es ist ein Kreativitäts-Hilfsgerät.
Es hilft Ihnen besonders dabei, aus einzelnen sortierten Teilen fertige Seiten zu machen. Es sorgt dafür, daß Ihre Manuskript-Entwürfe nicht immer wieder neu geschrieben werden müssen.

2. Die Eignungsprüfung von Vortrags-Bauelementen für die Aufnahme in Ihren Vortrag

1. Paßt es für diesen Zuhörerkreis?
2. Ist es vom Niveau her angemessen?
3. Entspricht es den Zielen und Aufgaben dieser Zuhörer?
4. Ist es neu und aktuell?
5. Paßt es in die heutige Zeit und zu den heutigen oder zukünftigen Bedingungslagen?
6. Bringt es den Zuhörern wirklich einen großen Nutzen?
7. Würden die Zuhörer viel versäumen, wenn sie es nicht kennen lernten?
8. Können die Zuhörer sofort etwas damit anfangen?
9. Ist es unbedingt erforderlich, ist es lebenswichtig für diesen Vortrag?
10. Wirkt es menschlich oder unmenschlich?
11. Wirkt es taktvoll oder brutal?
12. Wird es die Zuhörer verblüffen oder langweilen?
13. Verletzt es ein Tabu?
14. Löst es positive Vorstellungen aus?
15. Begeistert es oder deprimiert es?
16. Ist es einfach und unkompliziert?
17. Ist es bequem zu verstehen?
18. Liefert es den Zuhörern einen Gedanken, den sie lange in ihrem Gedächtnis behalten werden?
19. Kann man es den Zuhörern zumuten, wirklich ihre Zeit hierfür aufzuwenden?
20. Ist es eine Aussage mit Pioniergehalt oder die Präsentation eines alten Hutes?
21. Ist es die zuzuordnende Zeit wirklich wert? Würden Sie es auch benutzen, wenn Sie nur die Hälfte der Vortragszeit zur Verfügung hätten?
22. Paßt es wirklich zum Thema, das Sie zu behandeln haben? Hilft es diesem Thema?
23. Paßt es zu Ihnen selber? Zu Ihrem Wesen? Zu Ihrem Image?
24. Beschreibt es nur negative Sachverhalte oder wird damit auch eine Lösung angeboten?

    Beschreibt es nur die Lage oder hilft es dabei, die Lage zu verbessern?
    Wird damit eine positive Aktion ausgelöst?
25. Ist es konkret genug? Ist es speziell genug?
26. Wird damit keine Vertraulichkeit verletzt?
27. Reicht die Zeit aus, um es verständlich zu bringen? Wenn nicht, dann überhaupt nicht erwähnen!

28. Haben die Zuhörer die Macht, aufgrund dieser Vortragssaussage selber wirklich Schritte zu unternehmen?
Oder frustrieren Sie die Zuhörer, weil sie die Notwendigkeit beispielsweise einer Veränderung zwar einsehen, aber selber keinen Einfluß darauf haben, diese zustande zu bringen?

29. Ist es eine Aussage, die dazu führt, daß Ihre Zuhörer selber etwas unternehmen werden? Oder ist es eine Aussage, die dazu führt, daß Ihre Zuhörer jede eigene Aktivität von sich weisen und erst einmal Handlungen von anderer Seite verlangen?

3. Ihr Vortragsmanuskript

1. Ihr Manuskript muß Ihnen Sicherheit und Bequemlichkeit liefern.
2. Es muß Ihnen Freude machen, damit zu arbeiten. Es muß Ihnen sympathisch sein. Sie müssen es gerne benutzen.
3. Verwenden Sie etwas schwereres Papier. Es flattert nicht, es klappt nicht nach unten, es hält sich angenehmer in der Hand. Es wirkt stabilisierend.
4. Lassen Sie Ihr Manuskript mit der größten Schreibmaschinen-Schrift schreiben, über die Sie verfügen.
   Bei den modernen Kugelkopf-Maschinen gibt es sehr angenehm lesbare, sehr große Schriftarten.
5. Wählen Sie für Ihr Manuskript nur eine Schriftart.
6. Schalten Sie jegliche Art von Konfusion aus. Sie brauchen ein diszipliniertes Manuskript. Klar, übersichtlich, harmonisch.
7. Lassen Sie Ihr Manuskript nur einseitig schreiben.
8. Sollten Sie handschriftliche Bemerkungen hinzufügen müssen, dann in Blockschrift und groß genug.
   So wie manche Redner ihr Manuskript betrachten, hat man den Eindruck, sie brauchten außer ihm auch noch eine Lupe.
9. Wie bereits erwähnt, lassen sich Manuskripte nicht nur mit der Schreibmaschine herstellen, sondern auch mit dem Kopiergerät.
10. Sie können Teile aus Ihrem Manuskript herausschneiden, vom verbleibenden Rest eine Kopie anfertigen und haben dann eine neue, ordentliche Manuskriptseite.
    Das ist die bequemste Art, Manuskripte zu ändern.
11. Sie können in Manuskripte etwas einkleben, von der Montage eine Kopie herstellen und haben eine neue ordentliche Manuskriptseite.
    Verwenden Sie für das Einkleben von Teilen unsichtbare Klebebänder.
    Sie sind tatsächlich in aufgeklebtem Zustand unsichtbar. Diese Klebebänder sind auch beschriftbar mit Filzstift, Bleistift und Kugelschreiber.
    Klebebänder dieser Art sind kopierfähig und auf Kopien nicht zu erkennen. Und sie sind wasserfest.
    Darüber hinaus sind sie sympathisch in der Anwendung.
12. Numerieren Sie die einzelnen Seiten Ihres Manuskriptes mit großen Zahlen.
13. Schreiben Sie den Titel des jeweiligen Vortrags-Abschnittes in die rechte obere Ecke.
14. Lassen Sie einen breiten Rand. Schreiben Sie kurze Zeilen. Dann brauchen Sie Ihre Augen nicht hin und her zu bewegen.
    Sie erfassen die gesamte Zeilenbreite auf einen Blick. Das gibt Ihnen sehr viel Sicherheit.

15. Lassen Sie viel Raum zwischen den einzelnen Absätzen.
Sie haben mehr Übersicht. Sie erkennen die Bedeutung eines jeden Absatzes besser. Sie werden beim Sprechen eher nach einem Absatz eine Pause machen und ihn auf Ihre Zuhörer einwirken lassen.
Je enger Ihr Manuskript geschrieben ist, um so weniger wirkt es strukturiert. Ein Skelett oder ein Gefüge ist nicht mehr erkennbar. Es entsteht ein amorpher Brei. Der Vortrag ist nicht mehr das Gehen von Stufe zu Stufe, sondern das Ablaufenlassen eines Rührteiges.

16. Unterstreichen Sie die wichtigsten Worte. Oder überstreichen Sie diese mit dem Gelbstift.
Machen Sie das bei den Worten, die Ihnen schlagartig zu erkennen geben, was Sie im einzelnen sagen wollen.

17. Bringen Sie in Ihr Manuskript möglichst nur Stichworte.
Besonders entscheidende Formulierungen können Sie jedoch ausschreiben lassen. Dies ist dann nötig, wenn es auf den genauen Wortlauf zwingend ankommt!

18. Jedes Wort zu viel in einem Manuskript wirkt negativ und wird bestraft. Werfen Sie rigoros jedes Wort hinaus, das nicht unbedingt für die Rückerinnerung dessen, was Sie sagen wollen, erforderlich ist.

19. Jedes Wort, jedes Zeichen, jedes Symbol, jede Linie die sich auf der Manuskriptseite befindet und unnötig ist, nimmt Ihnen die Konzentration und verwirrt Sie. Sie verlieren einen Teil Ihrer Sicherheit.
Unnötige Elemente können Sie bequem entfernen, indem Sie weiße Tippex-Korrekturfarbe verwenden.

20. Vermerken Sie auf Ihrem Manuskript, was Sie weglassen werden, wenn Sie in Zeitdruck geraten.

21. Halten Sie andererseits ein Reservemanuskript bereit. Es soll Zusatzstoff enthalten, für den Fall, daß Sie auf einmal zu viel Zeit haben.

22. Ihr Manuskript ist nicht nur die inhaltliche Basis für Ihre Vortragsaussagen. Es ist auch eine Regieanweisung.
Es soll Ihnen Hinweise geben für alle Maßnahmen, die zu Ihrem Vortrag gehören - z. B. Mitwirkung der Zuhörer, Präsentation von Gegenständen, Beginn einer Pause.

4. Die Organisation Ihres Vortrages

1. Wenn Sie sich als Vortragender nur für den Inhalt Ihres Vortrages verantwortlich fühlen, die Organisation hingegen anderen überlassen, gehen Sie schweren Zeiten entgegen.
2. Wenn Sie sich als professionellen Vortragenden betrachten, dann sind Sie auch für die Vortrags-Umwelt verantwortlich.
   Sie haben den Umweltschutz für Ihren Vortrag zu organisieren. Die Umwelt ist entweder Ihr Feind oder Ihr starker Partner. Das beste Manuskript wird Ihnen nicht helfen, wenn die Umwelt über eine Schlagbohrmaschine verfügt.
   Sie brauchen also eine breitere Vortrags-Strategie. Sie sind für mehr als nur für den Vortrags-Inhalt verantwortlich. Es ist schrecklich, aber Sie brauchen noch mehr Zeit.
3. Erscheinen Sie als Vortragender als Erster am Tatort. Beeinflussen Sie den Tatort. Wenn Sie als Erster erscheinen, dann können Sie auch die Stühle wegräumen lassen, die bereits links und rechts von Ihrem Vortrags-Standort aufgestellt sind. Keiner wird dann mehr neben Ihnen die Aufmerksamkeit Ihrer Zuhörer stehlen.
4. Wenn Sie Ihren Vortrag in einem Hotel halten, dann schaffen großzügige Trinkgelder schnellstens Widerstände und Behinderungen aus der Welt.
   Als professioneller Redner werden Sie alles tun, um Hilfskräfte für sich zu gewinnen und sich großzügig für ihre Unterstützung erkenntlich zu zeigen.
   Ein so hervorragender Redner wie Churchill war weltberühmt für seine Trinkgelder.
5. Nehmen Sie einen Einfluß auf die Gestaltung des Raumes.
   Wählen Sie für eine kleine Gruppe einen kleinen Raum. Halten Sie keinen Vortrag in einem Saal, in dem Sie irgendwo eine verlorene Gestalt entdecken.
6. Schaurig ist ein Vortragssaal mit Kegelbahn-Charakter. 60 Zuhörer in 20 Reihen! Die Zuhörer müssen in Ihrer Nähe sein!
   Setzen Sie Ihre Zuhörer dicht zusammen. Sie schaffen damit eine Gruppe. Diese ist leichter zu gewinnen und zu beeinflussen als eine Anzahl isolierter Individuen.
7. Wählen Sie für den Kreis selber eine günstige Sitzordnung. Die Ideallösung ist es, daß jeder jeden ansehen kann.
8. Wer Sie als Vortragenden schlecht sieht, wird böse.
   Wer Ihnen als Vortragendem mit dem Rücken entgegensitzt, wem Sie also in den Nacken sprechen, der wird bösartig.
9. Machen Sie sich Gedanken über die Stühle. Es gibt 10-Minuten-Stühle, 30-Minuten-Stühle und menschliche Stühle.
   Stühle können sich zu Ihren größten Feinden entwickeln. Sie führen den Kampf wirklich unter der Gürtellinie.
   Der Kampf der Stühle gegen die Sitzfläche Ihrer Zuhörer, stiehlt Ihnen den Sieg im Kampf um die Köpfe.
10. Kümmern Sie sich selber um die Klimaanlage. Ein Zuhörer der mit jeder Minute die Sie weitersprechen, eine Grippe immer näher auf sich zukommen sieht, denkt zum Schluß nur noch an die Auswahl der richtigen Therapie.

11. Sorgen Sie dafür, daß Ihre Zuhörer den Raum bequem finden, in dem Sie dann zu Ihnen sprechen werden. Laden Sie nicht die Wut der Verirrten auf sich.
Jemand der erst einmal in zwei falschen Räumen gewesen ist, jeweils des Raumes verwiesen wurde, und Sie dann endlich findet, freut sich eigentümlicherweise nicht über das gute Endergebnis.
Sorgen Sie also für genügend Hinweisschilder.

12. Was gibt es an Türen zu diesem Raum? Zu spät kommende Zuhörer sollten die Tür zum hinteren Teil des Vortragsraumes benutzen. Sie sollten nicht auf einmal wie ein blindes, völlig verwirrtes Huhn, neben Ihnen stehen.
Reservieren Sie für zu spät Kommende Plätze in der letzten Reihe. Stellen Sie hierfür „Reserviert-Schilder“ auf.
Sie als Vortragender haben im Vordergrund zu stehen und nicht jemand, dessen Einzigartigkeit allein darin besteht, daß er nicht pünktlich ist.

13. Sorgen Sie dafür, daß eine Garderobe da ist und daß sie leicht zu finden ist.
Kein Redner der Welt hat je von anwesenden Mänteln, Hüten und Koffern Applaus bekommen.

14. Die einen stehen im Dunkeln. Die anderen stehen im Licht. Sorgen Sie dafür, daß Sie zu den anderen gehören. Machen Sie eine gründliche Beleuchtungsprobe.
Wenn Sie im Dunkeln stehen, brauchen Sie sich um Ihre Mimik keine Gedanken zu machen. Auch Ihre Argumente kommen dann aus dem Dunkel.
Licht macht wach. Dämmerlicht macht müde und mürrisch.
Betrachten Sie die Beleuchtung von den Plätzen Ihrer Zuhörer aus.

15. Prüfen Sie die Übergardinen. Wie weit sollten sie geschlossen werden? Prüfen Sie die Verdunkelungsmöglichkeiten, wenn Sie Filme oder Diapositive zu zeigen haben.

16. Wo steht das Telefon, das während Ihres Vortrages anfangen wird, die gesamte Wirkung zu zerklingeln.
Vereinbaren Sie mit der Telefonzentrale, daß man Sie während Ihres Vortrages nicht stört. Geben Sie die Pausen bekannt. Telefonische Meldungen können dann in der Pause vermittelt werden.
Sagen Sie Bescheid, daß jemand die Telefonzentrale in der Pause anrufen wird, um zu hören, ob für den einen oder anderen Zuhörer eine Nachricht da ist.

17. Organisieren Sie ein Lärmschutz-Programm. Lassen Sie sich nicht die innere Ruhe, Konzentration und Gelöstheit durch Lärm nehmen. Er ist einer der größten Feinde eines jeden Redners.
Wer wird für Sie tätig werden, wer wird Ihnen sofort helfen, wenn irgendwo eine Lärmquelle Ihnen den Krieg erklärt?

18. Wo werden Sie selber stehen? Was wird vor Ihnen sein, hinter Ihnen, neben Ihnen?
Was wird von Ihnen ablenken? Was wird Unruhe schaffen?
Was werden die Dekorationen Ihnen antun?

19. Werden Sie inmitten eines größeren Blumenbeetes wirken? Werden Sie ein Gärtner sein oder ein Redner?
Welche schönen Möbelstücke werden sich in Ihrer Nähe befinden?
Wird hinter Ihnen ein großer Spiegel hängen, so daß Ihre Zuhörer Sie von beiden Seiten sehen können?
Werden Sie sich hinter einem Pult verstecken oder wird auch Ihr Oberkörper sichtbar sein?

20. Ihr Vortragstisch muß doppelt so breit sein, wie ihn die Leute für richtig halten, die ihn aufstellen.
Dann können Sie Ihr Material gut geordnet und übersichtlich ausbreiten. Kein Durcheinander läßt Sie in Panik geraten.
21. Ihr Vortragstisch soll nicht zu weit von der ersten Reihe Ihrer Zuhörer entfernt sein. Zwei Meter sind ein guter Abstand.
22. Sie brauchen eine Leinwand! Dann soll sie auch für diesen Zuhörerkreis groß genug sein. Lieber viel zu groß, als ein wenig zu klein!
23. Lassen Sie von Ihren Unterlagen nur das sehen, was Sie gerade für den Vortrag benötigen.
Jeder Zuhörer ist laufend auf der Suche nach Gegenständen, die ihm dabei helfen, den Worten eines Redners zu entgehen.
24. Lassen Sie Ihren Vortragstisch bis zum Boden hin verkleiden. Es reicht, wenn man Ihren Oberkörper sieht. Der Blick auf die Beine ist bei Vorträgen nicht so wichtig.
25. Sprechen Sie niemals vor einem Fenster stehend. Sie wirken dann nur noch als Silhouette. Ein Vortrag ist kein Schattenspiel.
26. Versorgen Sie sich mit einer Uhr, auf der Sie die Zeit wirklich bequem erkennen können.
Es muß eine Uhr sein, die nicht laufend selber Geräusche von sich gibt. Sie sind der Vortragende!
27. Die elektrischen Installationen? Geht das Licht aus, wenn Sie Ihren Projektor einschalten?
Wo sind die Sicherungen? Wer hilft Ihnen, wenn technisch etwas schief geht? Wo sitzt er ? Mitten unter den Zuhörern oder direkt am Ausgang?
28. Die Simulation möglicher Pannen vor einem Vortrag ist empfehlenswert.
Gebrauchsanweisungen für Geräte sollten vor einem Vortrag gelesen werden und nicht erst bei Eintritt der Panne.
Der Wechsel eine Projektorlampe sollte vorher geübt werden. Es sollte kein technisches Studium während des Vortrages absolviert werden.
Ersatzteile, Ersatzlampen erhöhen die innere Ruhe. Eine einzelne Ersatzlampe ist nicht ausreichend!
29. Sie brauchen ein großes Namensschild für sich selber. Nicht jeder weiß sonst, wer da vor ihm spricht.
30. Wenn möglich, sollten vor Ihren Zuhörern sehr große Namensschilder stehen. Dann wissen Sie es, wer es ist, der Sie auf eine so unnachahmliche Weise anblickt.
31. Werden Sie ein Vertrauter Ihrer Mikrophonanlage. Machen Sie die Mikrophonprobe nicht erst nach Beginn Ihres Vortrages.
Lassen Sie sich die Anlage erklären. Lassen Sie sie mustergültig einstellen. Lernen Sie selber, damit umzugehen.
Prüfen Sie, welchen Abstand Sie vom Mikrophon halten sollten. Was ist optimal?

32. Ein zu kalter Raum ist nicht sehr günstig. Ein überheizter Raum hingegen ist in seiner Wirkung katastrophal.
Er läßt Ihre gut geordneten Gedanken einfach zerschmelzen.
Übernehmen Sie die Verantwortung für die Raumtemperatur!

33. Vielleicht brauchen Sie ein Gerät, um sich immer wieder einmal Aufmerksamkeit zu verschaffen.
Ein Gong ist besser als eine Klingel, und diese ist besser als ein Hammer!

5. Ihr Auftreten und Ihr Aussehen

1. Wer auf sein Äußeres keinen Wert legt, nährt bei seinen Zuhörern den Verdacht, daß der Inhalt des Gebotenen genauso ramponiert ist.
2. Ein Redner muß gepflegt wirken. Er muß durch sein Äußeres zeigen, mit welcher Sorgfalt er sich auf ein außerordentliches Ereignis vorbereitet hat.
   Er muß durch sein Äußeres zeigen, welche Hochachtung und Wertschätzung er seinen Zuhörern entgegenbringt.
3. Wählen Sie Ihre Kleidung für den Vortrag sehr sorgfältig aus.
   Wählen Sie eine bequeme Kleidung. Eine Kleidung, in der Sie sich besonders wohlfühlen und die Sie gerne tragen.
4. Wählen Sie keine zu enge Kleidung.
   Die Zuhörer sollen nicht den Eindruck haben, daß Sie bei dramatischen Aussagen und Gesten in Gefahr sind, Ihren Anzug zu verlassen.
5. Tragen Sie niemals ein Hemd mit einem zu engen Kragen. Es setzt Teile Ihres Gehirns außer Funktion.
6. Leeren Sie Ihre Taschen. Sie sind kein Transportunternehmer, sondern ein Redner.
7. Erscheinen Sie mit der leichtesten Ausstattung, die möglich ist.
   Manche Redner sind Opfer ihres Schneiders. Er verarbeitet zu gern dicke Stoffe.
   Kein guter Vortrag wurde jemals in einer Ritterrüstung gehalten. (Auch Götz von Berlichingen hat nicht viel mehr als einen einladenden Satz geschafft.)
8. Halten Sie keinen Vortrag, wenn Sie müde sind. Tun Sie alles, um frisch, ausgeschlafen und gepflegt zu einem Vortrag zu kommen.
9. Versuchen Sie nicht am Vorabend Ihres Vortrages intensive Kontakte zu Ihren Zuhörern herzustellen. Versuchen Sie nicht Kontakte zu ertrinken.
   Zum Schluß haben Sie den Kontakt, aber keinen klaren Gedanken mehr im Kopf.
10. Sie müssen vital wirken und nicht so, als wäre dies Ihr letzter Vortrag überhaupt.
    Müdigkeit macht stumpf. Nur wer ausgeschlafen ist, besitzt Ausstrahlung.
11. Während Ihres ganzen Vortrages müssen Sie fit wirken und nicht so, als würden Sie unabwendbar dem körperlichen Zusammenbruch entgegenreden.
12. Eine korrekte und gepflegte Frisur ist wichtig. Die meisten Zuhörer konzentrieren sich auf Ihren Kopf.
13. Kopf hoch! Stehen Sie nicht gebückt da. Achten Sie auf Ihre Körperhaltung.
14. Sie werden entspannter sein und eine bessere Körperhaltung haben, wenn Sie vor dem Vortrag die Möglichkeit einer Massage hatten oder etwas öfter schwimmen.
15. Ein Redner mit Normalgewicht hat es leichter als ein Redner mit Übergewicht.
16. Blicken Sie nicht immer nach unten. Blicken Sie nicht immer nach oben. Aus keiner dieser beiden Richtungen kommt Hilfe.
17. Tasten Sie nicht dauernd an sich herum. Fassen Sie sich nicht an die Ohren, an die Lippen, an die Nase. Sie lenken die Zuhörer damit ab.
    Abgesehen davon sind alle diese Griffe unnötig. Wenn auch Rednern schon viel passiert ist, die Nase oder die Ohren sind noch keinem abhanden gekommen.

18. Strecken Sie Ihre Arme nicht weit nach links und rechts aus. Stützen Sie sich nicht mit weitgespreizten Armen auf den Vortragstisch. Blicken Sie nicht in gekrümmter Haltung als symbolisches Fragezeigen zu Ihren Aussagen in den Zuhörerkreis hinein.
19. Bewegen Sie sich ab und zu ruhig einige kleine Schritte, aber erfinden Sie keinen neuen Tanz.
20. Schlagen Sie nicht nach hinten aus, um einzelne Worte zu betonen. Es gibt wenige Pferdeliebhaber unter Ihren Zuhörern.
21. Machen Sie keine rudernden Bewegungen mit Ihren Armen. Die Belüftung des Raumes wird dadurch auch nicht besser.
22. Stecken Sie Ihre Hände nicht in die Hosentaschen. (Vorträge in England bilden eine Ausnahme)
23. Husten Sie nicht, keuchen Sie nicht, atmen Sie nicht zu schwer.
24. Trinken Sie möglichst nicht vor den Augen Ihrer Zuhörer. Ihr Vortrag findet nicht in der Sahara statt.
25. Lenken Sie die Zuhörer nicht selber fahrlässig von Ihrem Vortrag ab. Blicken Sie nicht immer wieder auf Ihre Armbanduhr.
26. Machen Sie korrekte und natürliche Gesten. Übertreiben Sie Ihre Gesten nicht. Wirken Sie nicht gekünstelt und affektiert.

1. Gehen Sie aufrecht, gelöst und fröhlich auf den Vortragstisch zu. Schleichen Sie nicht hin. Schlendern Sie nicht hin. Gehen Sie nicht gekrümmt und gesenkten Hauptes hin.
   Rasen Sie nicht hin. Stolpern Sie nicht über vorhandene Stufen. Legen Sie sich nicht zu Beginn Ihren Zuhörern zu Füßen.
2. Gehen Sie davon aus, daß Ihre Zuhörer erwartungsvoll einem gut vorbereiteten, interessanten Vortrag entgegensehen.
3. Fangen Sie nicht sofort an zu sprechen. Lassen Sie Ruhe einkehren. Bringen Sie jeden zur Konzentration.
   Jeder gute Vortrag beginnt mit einer Besinnungspause.
4. Atmen Sie tief aus. Aus, aus - nicht ein!
5. Blicken Sie in jede Richtung, bevor Sie anfangen zu sprechen. Nehmen Sie zu jedem Ihrer Zuhörer mit den Augen Kontakt auf.
6. Beginnen Sie langsam und ruhig. Sprechen Sie ganz klar und verständlich. Lassen Sie Ihre ersten Worte einwirken.
7. Sagen Sie etwas über den Zuhörerkreis selber. Zeigen Sie, daß Sie wissen, wer da ist. Demonstrieren Sie, daß Sie wissen, was von Ihnen erwartet wird. Gewinnen Sie Ihre Zuhörer für das Zuhören.
8. Entspannen und lockern Sie Ihre Zuhörer. Schaffen Sie eine fröhliche und gelöste Atmosphäre. Wirken Sie so versprechend, daß jeder die Absicht hat, auf alle Ablenkung zu verzichten und sich Ihnen völlig zuzuwenden.
9. Bringen Sie positive Eröffnungsformulierungen. Beweisen Sie mit diesen Ihren Zuhörern, daß es sich lohnen wird, Ihnen zuzuhören.
10. Sagen Sie, was Sie für die Vorbereitung dieses Vortrages getan haben. Was haben Sie studiert, an welche Informationen sind Sie herangekommen?
11. Sagen Sie niemals, Sie hätten wenig Neues zu bringen. Das ist eine Todsünde! Warum reden Sie überhaupt, wenn Sie nichts Neues zu bringen haben?
12. Biedern Sie sich bei Ihren Zuhörern nicht an, indem Sie ihnen das „Alte-Hasen-Kompliment“ machen.
    Was sind schon alte Hasen? Im wesentlichen doch nur Tarnexperten und Meister im Hakenschlagen!
13. Sagen Sie kurz, warum Sie sich freuen, gerade vor diesen Zuhörern zu sprechen.
14. Stellen Sie das heraus, was Sie mit Ihren Zuhörern an Gemeinsamkeit verbindet.
15. Mit Ihrer Einleitung haben Sie das Wohlwollen Ihrer Zuhörer zu gewinnen. Erst wenn Sie das Wohlwollen besitzen, können Sie Ihre Ansichten mit Erfolg präsentieren.
16. Fassen Sie Ihre Zuhörer zu einer Einheit zusammen. Es muß so schnell wie möglich eine Gemeinschaft entstehen. Die Zuhörer müssen sehen, daß sie gemeinsame Interessen haben. Sie müssen sich schnell als Teil einer homogenen Gruppe empfinden.

17. Sagen Sie nur wenige Worte über sich selber. Stellen Sie sich nicht langatmig vor. Teilen Sie nicht mit, wie gut Sie sind.
Wer über sich selber spricht, langweilt die anderen. Wer über seine Zuhörer spricht, begeistert sie.
18. Fangen Sie nicht mit einem Witz an, auch dann nicht, wenn die meisten Ihrer Zuhörer ihn seit Jahren nicht mehr gehört haben.
19. Beginnen Sie mit verblüffenden Fakten!
20. Der Beginn Ihres Vortrages sollte nicht zu formell, nicht zu pompös, nicht zu lässig, sondern gelöst und liebenswürdig sein.
Beginnen Sie Ihren Vortrag so, wie Sie ein Gespräch unter Menschen beginnen würden, die Sie besonders schätzen und mögen.

7. Ihre Sicherheit und Gelassenheit

1. Fast immer sind die Zuhörer positiv eingestellt oder doch bereit, sich vom Redner gewinnen zu lassen.
2. Nur wenn der Redner selber schwach ist, sich offenkundig nicht vorbereitet hat, selber nicht überzeugt erscheint, von dem was er sagt, dann wendet sich der Zuhörerkreis gegen ihn.
   Dann schlägt der gute Wille in das Gegenteil um.
3. Zu Ihrer Sicherheit gehört also,
   a) daß Sie sich gut vorbereiten
   b) daß Sie selber überzeugt sind, von dem was Sie sagen
   c) daß Sie nicht schwächlich auftreten.
4. Mut und Entschlossenheit sind Ihre beiden größten Erfolgsfaktoren.
   Sie müssen mutig auftreten, dann fühlen Sie sich auch mutig.
5. Sie sollten einmal für immer in Ihrem Leben entscheiden, daß Sie keine Furcht mehr haben
   a) vor dem, was andere über Sie denken könnten
   b) was andere über Sie sagen könnten.
   Sie sollten keine Furcht mehr haben vor Kritik.
6. Sie sollten Kritik gelassen ertragen können. Sie sollten nicht in Panik geraten.
7. Sie sollten sich so gründlich vorbereiten, daß Sie nur ein Minimum an Kritik zu erwarten haben.
8. Sie sollten sich Kritik ruhig anhören. Dann sollten Sie entscheiden, ob der Kritiker recht hat. Wenn das der Fall ist, geben Sie es zu.
   Hat er nicht recht, dann bringen Sie höflich, freundlich und bestimmt Ihre Argumente.
   Erscheinen Sie niemals gereizt. Reagieren Sie nicht beleidigt. Fangen Sie nicht an Gegenvorwürfe zu machen.
9. Lassen Sie sich andererseits von bösartiger, gehässiger Kritik nicht fertig machen.
   Lassen Sie sich nicht terrorisieren.
   Fassen Sie den endgültigen Beschluß, sich bei Vorträgen nicht aus der Ruhe bringen zu lassen.
10. Sie brauchen die Kraft des positiven Denkens.
    Fragen Sie sich nicht vor einem Vortrag, was alles passieren wird, sondern gehen Sie davon aus, daß Sie einen großen Erfolg erzielen werden.
11. Ihre Einstellung muß lauten: „Ich werde diesem Kreis einen großen Nutzen bieten - ich werde Anregungen und Ideen liefern, die für alle Beteiligten außerordentlich hilfreich sein werden!"
12. Ihre Einstellung darf nicht sein: „Wie werde ich ankommen, wie werde ich wirken, wie gut werden die mich finden?"
13. Gewöhnen Sie sich daran, in allem was Sie tun und sagen sich positiv zu verhalten. Formulieren Sie positiv. Unterlassen Sie negative Bemerkungen. Sie erziehen damit auch Ihre Zuhörer.

14. Loben Sie mehr, anstatt laufend zu tadeln und zu kritisieren.
15. Haben Sie Zivilcourage. Verfechten Sie Ihre eigene Meinung. Lassen Sie sich nicht einschüchtern.
Zuhörer gewinnt man mit klaren, deutlichen und nachdrücklichen Aussagen.
Zuhörer wendet man gegen sich durch schwächliches, halbherziges Gerede.
16. Nehmen Sie sich selber weniger ernst. Scheuen Sie sich nicht, Fehler zuzugeben. Bieten Sie nicht das Schauspiel des Kämpfens in hoffnungsloser Position. Wenn die anderen Recht haben, geben Sie es zu und versuchen Sie nicht herumzureden.
17. Stapeln Sie nicht tief. Stellen Sie Ihr Licht nicht unter den Scheffel. Versuchen Sie nicht, die Zuneigung eines jeden Zuhörers durch unwürdige Bescheidenheit und übertriebene Beflissenheit zu erringen.
Mit lakaienhafter Servilität gewinnt man niemanden. Man fordert nur größere Unverschämtheit heraus.
18. Sprechen Sie nachdrücklich und sprechen Sie vor allen Dingen etwas lauter.
19. Lassen Sie sich nicht durch Störungen und Ablenkungen aus der Ruhe bringen. Tun Sie vorbeugend alles, um Störungen auszuschalten.
20. Lassen Sie sich nicht in Panik bringen durch das Durcheinander Ihrer Unterlagen. Wie bereits erwähnt - Sie brauchen eine große Fläche, um alles gut geordnet zu haben.
Alles was Sie für Ihren Vortrag brauchen, muß Ihnen bequem, griffbereit zur Verfügung stehen.
Was Sie nicht brauchen, gehört nicht in Ihr Blickfeld. Ordnung und Übersicht macht sicher.
21. Einer der größten Feinde Ihrer Sicherheit ist der Zeitmangel. Je mehr Sie unter Zeitdruck geraten, um so unsicherer und nervöser werden Sie.
Tun Sie deshalb mehr, um den Zeitfaktor in den Griff zu bekommen. Er entscheidet maßgeblich über Ihre innere Ruhe.
Verzichten Sie bei Zeitmangel lieber auf einen ganzen Vortragsteil, anstatt in Hetze und Panik zu geraten.
Vielleicht bitten Ihre Zuhörer Sie darum, zusätzliche Themen zu behandeln oder eine längere Diskussion zu führen. Sagen Sie Ihren Zuhörern dann so früh wie möglich, auf welche Vortragsteile dafür verzichtet werden muß.
22. Je enthusiastischer Sie sind, je mehr Sie mit dem Gegenstand verbunden sind, über den Sie sprechen, um so sicherer werden Sie sein.
Also sprechen Sie nur zu Themen, mit denen Sie sich wirklich verbunden fühlen.
23. Redner mit einer umfassenden Allgemeinbildung, Redner, die gewöhnt sind, viel zu lesen, besitzen meist beides - Enthusiasmus und Sicherheit.

8. Ihre Atmung und Körperhaltung

1. Stehen Sie gelöst da. Ziehen Sie die Schultern nicht hoch. Verkrampfen Sie sich nicht.
2. Kreuzen Sie Ihre Arme nicht vor der Brust. Lassen Sie Ihre Arme leicht herunterhängen.
3. Falten Sie Ihre Hände nicht.
   Legen Sie Ihre Fingerspitzen nicht so aufeinander, als wollten Sie in Ihren Zuhörerkreis hineinschwimmen.
   Lassen Sie nicht die Daumen routieren.
   Ballen Sie nicht die Fäuste.
4. Den Schwerpunkt Ihres Körpers dürfen Sie nicht auf die Höhe Ihres Brustkorbes legen.
   Wenn Sie richtig atmen, gewinnen Sie auch den richtigen Schwerpunkt.
   Wo dieser liegen muß, erfahren Sie sofort, wenn Sie einmal zur Probe husten.
   Wenn Ihr Schwerpunkt so tief liegt, haben Sie eine enorme Stabilität. Eine Stabilität wie ein Berliner Doppeldeckerbus, der bekanntlich nicht umfallen kann.
5. Einer der größten Experten der Entspannung durch richtiges Atmen, Dr. med. Georg Weiss von Boehringer Mannheim, sagt hierzu:
   „Die wenigsten Redner atmen richtig. Sie atmen ein. Bei ihnen presst sich alles nach oben.
   Bei Angst bleibt der Atem stecken. Es wird das Ausatmen vergessen.
   Gedanken sind Kräfte. Positive Gedanken führen zum Ausatmen.
   Negatives können Sie durch Ausatmen – wegatmen!
   Einatmen geschehen lassen, also nicht bewußt einatmen. Bewußt ausatmen!
   Dann sind Sie in der Mitte, im Lot.
   Der richtige Schwerpunkt macht Sie sicher und entspannt."

9. Erfolgsregeln für Ihren Vortragsstil

1. Führen Sie keinen Monolog. Deklamieren Sie nicht.
   Sprechen Sie so, wie Sie normalerweise ein Gespräch führen.
   Sprechen Sie so, als würden Sie sich mit jemandem eindringlich unterhalten.
   Wenn Sie diese Art des Vortrages wählen und laut genug sprechen, dann haben Sie den besten Vortragsstil, den es gibt!
2. Sprechen Sie außerordentlich höflich.
3. Sprechen Sie gelöst und nicht schwerfällig.
4. Sprechen Sie souverän, aber nicht affektiert.
5. Sprechen Sie nicht gekünstelt. Aber sprechen Sie auch nicht zu lässig.
6. Sprechen Sie so, als hätte Ihnen jemand gerade eine Frage gestellt, die Sie nun ernsthaft und freundlich beantworten wollen.
7. Sprechen Sie natürlich. Seien Sie ganz Ihre ureigenste Persönlichkeit.
8. Sprechen Sie nicht starr und verkrampft.
9. Sprechen Sie einfach und nicht in gedrechselten Redewendungen.
10. Sprechen Sie deutlich. Liefern Sie kein Gemurmel.
11. Sprechen Sie nachdrücklich und nicht so, als würden Sie Ihre Zuhörer mit Watte bewerfen.
12. Sprechen Sie nicht monoton. Wechseln Sie Ihren Tonfall und Ihre Sprechgeschwindigkeit. Ein Vortrag ist nicht das Arbeiten einer Gebetsmühle.
13. Übertreiben Sie Ihre Gesten nicht. Lassen Sie Ihre Faust nicht rauf und runter sausen. Veranstalten Sie kein Schattenboxen.
14. Verhalten Sie sich ruhig und nicht nervös. Machen Sie Ihre Zuhörer nicht durch Hektik und Herumgezappel unruhig und gereizt.
15. Bringen Sie keine mimischen Gewaltakte.
16. Treten Sie nicht so verkrampft auf, als müßte ein Masseur ein Jahr allein für Sie tätig werden.
17. Bringen Sie nicht jeden Sprachbrocken so, als wäre es ein Sack Zement.
18. Sprechen Sie nicht so eintönig, wie ein Hypnotiseur, der eine Gruppe in Schlaf versetzen will.
19. Schwadronieren Sie nicht.
20. Sprechen Sie nicht so zögernd, daß Ihre Zuhörer immer wieder annehmen müssen, das war nun wirklich Ihr letztes Wort.
    Ein Vortrag ist keine Perlenkette von Scheintoten-Seufzern.
21. Veranstalten Sie keinen mitleiderregenden Kraftakt für das erschöpfende Herauspressen von Banalitäten und Leerformeln.

22. Quälen Sie Ihre Zuhörer nicht mit unmenschlichen Kraftanstrengungen für reine Wortmacherei.
Mühen Sie sich nicht mitleidsheischend ab, beschwörend die dritte Wiederholung derselben Banalität zustande zu bringen.
23. Spielen Sie keine Bedeutungslosigkeiten hoch, in dem Sie ihnen etwas Unheimliches geben.
24. Würzen Sie Ihren Vortrag nicht mit Füllsentenzen (nicht wahr, nicht wahr, nicht wahr ...).
25. Sprechen Sie nicht salbungsvoll. Bringen Sie kein Schmalz, kein Oel, keinen Schlagrahm, keinen Butterberg. Ihre Zuhörer wollen Proteine. Festes Fleisch!
26. Sprechen Sie nicht wie ein Leierkasten.
27. Sprechen Sie nicht theatralisch.
28. Sprechen Sie nicht sentimental.
29. Sprechen Sie nicht, als wären Sie im Zustand ständiger Entrüstung. Das nimmt Ihnen keiner ab.
30. Wirken Sie nicht belehrend.
31. Wirken Sie nicht arrogant.
32. Sprechen Sie nicht deshalb härter und vorwurfsvoller, weil Sie mit Widerstand rechnen.
Vielleicht wollte niemand Widerstand bringen.
Aber – Druck erzeugt Gegendruck.
Je freundlicher Sie sprechen, um so weniger Widerstand wird kommen.
33. Erliegen Sie nicht der Faszination bestimmter Begriffe. Veranstalten Sie keinen Dauertanz von Lieblingsworten.
Wenn einmal ein Begriff Ihr Lieblingsbegriff geworden ist, dann ist es höchste Zeit, sich von ihm zu trennen.
Hören Sie sich Ihre Vorträge auf Tonband an. Identifizieren Sie solche Begriffe. Nehmen Sie diese Begriffe auf Ihre Schwarze Liste.
34. Vermeiden Sie alles, was Ihnen als Eitelkeit und Selbstbeweihräucherung ausgelegt wird.
Loben Sie sich nicht. Eigenlob riecht schlecht.
Bringen Sie das Wort „Ich" so selten wie möglich.
Sprechen Sie weniger über sich selbst.
35. Lachen Sie nicht als erster und am lautesten über Ihre eigenen Witze.
36. Versuchen Sie nicht alles zu bringen, was Sie wissen. Bringen Sie nicht mehr, als nötig ist, um Ihr Vortragsziel zu erreichen.
37. Rasseln Sie nicht Punkt für Punkt Ihres Manuskriptes herunter.
38. Seien Sie nicht geschwätzig.
39. Betonen Sie Ihre wichtigsten Worte besonders nachdrücklich.
40. Lassen Sie die einzelnen Punkte Ihres Vortrages nicht ineinander fließen. Machen Sie beim Übergehen von einem Punkt auf einen anderen eine kleine Pause.

41. Vermeiden Sie Füllseufzer der äh-Kategorie.
Bei manchen Rednern ist das „äh“ das häufigste Wort ihres Vortrages.
Das ist gefährlich. Denn es gibt immer einen Zuhörer, der mitzählt.

42. Sprechen Sie nicht verbissen und böse.

43. Sprechen Sie nicht mürrisch.

44. Sprechen Sie nicht kalt und uninteressiert. Sprechen Sie nicht mit einem Pokergesicht. Spielen Sie nicht den Roboter, der aus dem Kühlschrank kommt.

45. Sprechen Sie farbig und gefühlsbetont. Lächeln Sie jeden Zuhörer einmal freundlich an. Schaffen Sie eine freundliche Atmosphäre. Verhalten Sie sich galant und charmant.

46. Treten Sie nicht zu lässig auf. Ein Vortragender der den überzeugenden Eindruck vermittelt, ihn könne überhaupt nichts erschüttern, zeigt damit, daß ihm seine Zuhörer und ihre Gedanken letzthin gleichgültig sind. Das zahlen ihm seine Zuhörer heim.

47. Sprechen Sie nicht herablassend arrogant: „Da habe ich dann zum lieben Gott gesagt, jetzt setzen sie sich einmal ruhig hin und hören mir konzentriert zu ... !“

48. Sprechen Sie nicht zu heftig, nicht unerbittlich!

49. Sprechen Sie diszipliniert.

50. Sprechen Sie mit Nachdruck und beschwörend!

51. Sprechen Sie deutlich und verständlich.
Viele Redner sprechen viel zu leise. Machen Sie diesen Fehler nicht. Prüfen Sie, ob Sie überall gut zu hören sind. Fragen Sie Ihre Zuhörer danach.
Ein Redner, der so leise spricht, daß er nicht verstanden wird, ist genau so schlimm wie jemand, der Diapositive zeigt, die nur von den ersten Reihen richtig gesehen werden können. Eine glatte Zumutung!

52. Seien Sie ein Entkomplizierungs-Experte. Ein Vereinfachungs-Meister. Machen Sie Ihre Zuhörer nicht konfus!

53. Tun Sie nicht so, als würden Sie etwas ernsthaft meinen, wenn es in Wirklichkeit ironisch gemeint ist.
Ihre Zuhörer müssen ohne Mühe herausfinden können, woran Sie mit Ihrer Aussage sind.
Sprechen Sie ironische Bemerkungen besonders langsam. Lassen Sie diese Bemerkungen ankommen. Lächeln Sie ein wenig dabei.

54. Zerstören Sie keinen Applaus, indem Sie sofort weitersprechen.

55. Gönnen Sie Ihren Zuhörern den Applaus als ein Mittel der Entspannung und Kraftgewinnung für das weitere Zuhören.

56. Beziehen Sie Ihre Zuhörer mit ein. Fesseln Sie durch die empfohlene Vortragsart - eine Vortragsart mit Gesprächscharakter. Stellen Sie rhetorische Zwischenfragen:
a) Ist das richtig?
b) Ist das auch Ihre Meinung?
c) Sind Sie damit einverstanden?
d) Haben Sie die gleiche Erfahrung gemacht?
e) Können Sie mich gut verstehen?
f) Können Sie die Texte auf der Leinwand gut lesen?

57. Terrorisieren Sie Ihre Zuhörer nicht durch Marathon-Vorträge ohne Entspannungspausen.
Erhalten Sie Ihren Zuhörern die Hoffnung. Jeder soll wissen, daß Sie ein Mensch sind – denn Sie gewähren Pausen.

58. Geraten Sie nicht in Zeitnot. Machen Sie nicht den Fehler, im Anfangsteil Ihres Vortrages zu viel Zeit zu verschwenden.
Leben Sie nicht in der Illusion, Sie hätten genügend Zeit. Verzichten Sie lieber auf einige Bemerkungen.
Zeitliche Reserven sind ein starker Verbündeter.

59. Überprüfen Sie in den Zwischenpausen, während eines längeren Vortrages, Ihr Manuskript. Entscheiden Sie entschlossen, worauf Sie verzichten wollen.

60. Versprechen Sie in Ihrem Vortrag nichts, was Sie später aus Zeitmangel doch nicht mehr bringen können.
Verzichten Sie auf fahrlässige Selbstverpflichtungen, die nicht nur gefährlich, sondern auch völlig unnötig sind.
Sie können noch so viel Interessantes bringen, Zuhörer werden sich immer daran erinnern, daß Sie etwas versprochen hatten, daß Sie es nicht gehalten haben, daß man sich also auch auf Sie – was eigentlich erstaunlich ist – nicht so ganz verlassen kann.

61. Denken Sie bei Ihrem Vortrag mehr an das Empfangen als an das Senden.
Meist ist mehr Sendeenergie als Empfangsenergie vorhanden.
Kommunikation ist die Absicherung des erfolgreichen Empfangens.
Die Spannung ist beim Sender größer. Die Sendekraft ist größer. Der Empfänger entgegen wandert von einer Sendequelle zur anderen. Er ist leicht ablenkbar.
Er hat häufiger Empfangspause. Atmosphärische Störungen wirken stark auf ihn.
Seine Empfangsenergie sinkt schnell.
Je spannender Ihre Sendung ist, je mehr Sie sich auf den Empfänger einstellen, je leichter Sie es ihm machen, um so mehr wird er von Ihrem Vortrag haben.

62. Lassen Sie Ihren Vortrag nicht routinehaft klingen. Sie sind kein Plattenspieler und Ihr Vortrag ist keine Schallplatte.
Routine erleichtert Ihnen zwar Ihre Tätigkeit, aber sie nimmt auch den Enthusiasmus und die enthusiastische Wirkung.
Vielleicht brauchen Sie für das Verhalten in Ihren Vorträgen einen neuen Start – und vorher ein Routine-Sprengungs-Programm.

63. Wenn Sie es einrichten können, dann halten Sie Ihren Vortrag zu einer Tageszeit, in der Ihre Leistungsfähigkeit und die Ihrer Zuhörer am größten ist.
Halten Sie Ihren Vortrag nicht um 14 Uhr. Zu dieser Zeit soll jemand sprechen, der Gehaltserhöhungen und Beförderungen zu verkünden hat.

64. Arbeiten Sie bei Ihren Vorträgen mit der Macht des Schweigens. Schweigen erzeugt gespannte Aufmerksamkeit und Konzentration.
Machen Sie nach besonders wichtigen Aussagen also eine kurze Schweigepause.
Wenn Sie einmal wirklich Spannung erzeugen wollen, dann sehen Sie alle Ihre Zuhörer an und schweigen dabei etwa 5 Sekunden. Sie werden die Spannung mit den Händen greifen können und jedes folgende Wort wird wie eine massive Erlösung wirken.
Was Sie dann zustande gebracht haben, ist die Zusammenfassung aller Zuhörer zu einem geschlossenen Block.
Es gilt also – zumindest bei Vorträgen – durch die Macht des Schweigens, lassen sich Einheiten schaffen.

65. Schenken Sie Ihrer Sprechweise sehr viel Aufmerksamkeit. Geben Sie Ihrer Stimme einen angenehmen Klang.
Zischlaute sind schlecht. Zahnarzt ist besser.
Manchmal hilft bereits eine bessere Einstellung der Mikrophon-Anlage.

66. Verschlucken Sie keine Endungen.

67. Fügen Sie Ihrer Muttersprache keine Verletzungen zu.

68. Die Klangfarbe einer Mundart gehört häufig zum Charme einer Persönlichkeit. Von der Extremform eines Dialektes läßt sich dies nicht unbedingt behaupten.

69. Ihr Diktiergerät ist übrigens ein hervorragendes Trainingsinstrument. Mit ihm können Sie täglich eine klare, saubere, verständliche Aussprache üben.
Nicht nur Ihre Vortragszuhörer werden Ihnen dafür dankbar sein, sondern auch Ihre Sekretärin.

70. Stoßen Sie Ihre Worte nicht hinaus wie ein Dampfhammer. Werden Sie nicht knallrot.

71. Schwitzen Sie weniger. Die richtige Kleidung und die richtige Raumtemperatur kann Ihnen helfen.
Zerfließen Sie nicht vor Anstrengung. Der menschliche Körper besteht zwar überwiegend aus Wasser, aber ein Vortragender ist nicht dazu da, seine Zuhörer ausgerechnet daran zu erinnern.
Das gilt auch für die Aussprache. Feuchtigkeit ist keine Dynamik. Und warum sollen die Zuhörer, die sich wohlgesonnen in die erste Reihe gesetzt haben, dafür bestraft werden?

72. Explodieren Sie nicht laufend. Vermeiden Sie eine brutale Ausdrucksweise. Brutalität im Ausdruck ist eines schwachen Mannes Imitation von Stärke. Meist ist es auch nichts anderes, als mangelnde Ausdrucksfähigkeit.
Brutalität im Ausdruck ist auch keine Dynamik. Sie ist nichts anderes als geistige Primitivität.

73. Zeigen Sie keine Verärgerung über Zwischenrufe, kritische Äußerungen Ihrer Zuhörer, über organisatorische Pannen und über Störungen.
Werden Sie nicht böse. Schimpfen Sie nicht. Bleiben Sie gelassen, dann bleiben es auch die anderen.

74. Reagieren Sie auf Zwischenrufe und Angriffe gelöst, nicht verkrampft, nicht verbissen und böse.
Sie werden niemals so intensiv beobachtet, wie zum Zeitpunkt eines Angriffes gegen das, was Sie gesagt haben.
Das ist der Zeitpunkt, zu dem endlich jeder im Saal wach ist.
Erfreuen Sie Ihre Zuhörer durch Ihre Schlagfertigkeit. Sie wird mit Genuß zur Kenntnis genommen.
Zwischenrufe sind der Pfeffer eines Vortrages. Jeder wartet jetzt auf Ihre Reaktion.
Ein rasant gelieferter, charmant kommender Kinnhaken, ohne verletzende Wirkung, wird als Antwort auf den Zwischenruf bejubelt.

75. Antworten Sie speziell und direkt, wenn Sie jemand etwas fragt.
Reden Sie nicht lang ausholend um den Brei herum. Antworten Sie nicht langatmig und umständlich. Bewegen Sie nicht den rechten Arm am Hinterkopf vorbei zum linken Auge. Antworten Sie direkt.
Ein einfaches „Ja“ oder „Nein“ hat die größte Wirkung.

76. Berücksichtigen Sie das, was Sie anderen als erstrebenswertes Verhalten empfehlen, selber. Tun Sie das, was Sie von anderen verlangen.
Widersprechen Sie sich nicht in Ihren Worten und in Ihrem Verhalten. Sie müssen der Wegweiser sein, der den Weg auch selber geht, den er anzeigt.

77. Würzen Sie Ihre Rede nicht mit dem fachlichen Slang einer Fremdsprache. Die eigene Sprache bietet hervorragende Möglichkeiten, Ihre Gedanken präzise darzustellen.

78. Seien Sie vorsichtig mit Fremdwörtern. Es ist immer einer da, der anschließend allen erklärt, was das Wort „spontan" wirklich bedeutet.

79. Humor ist eine Macht. Witze sind gefährlich. Vermeiden Sie vor allem landsmannschaftlich orientierte Witze. Es ist immer einer aus diesem Gebiet angereist.
Bringen Sie keine alten Witze. Bringen Sie unter keinen Umständen anzügliche Witze.

80. Vielleicht bekommen Sie für eine fröhliche Bemerkung einen tobenden Applaus. Lassen Sie es dabei bewenden. Freuen Sie sich darüber und seien Sie zufrieden. Bringen Sie die Bemerkung nicht noch einmal. Ihre Zuhörer haben bereits dafür bezahlt. Sie werden regelrecht böse, wenn Sie die gleiche Bemerkung noch einmal gegen Applaus-Zahlung verkaufen wollen.

81. Ein kleiner Tip zu humorvollen Aussagen: Die Pointe muß immer das Ende der Äußerung sein.
Es besteht sonst die Gefahr, daß Sie das zu früh kommende Gelächter Ihrer Zuhörer niederreden müssen.

82. Halten Sie nichts in der Hand, während Sie sprechen. Legen Sie den Kugelschreiber weg. Er konkurriert sonst um die Aufmerksamkeit Ihrer Zuhörer.

83. Lassen Sie nichts verteilen, während Sie sprechen.

84. Behandeln Sie nicht fahrlässig Themen, die bei Ihren Zuhörern ausgesprochenen Widerwillen hervorrufen.

85. Verwenden Sie die Sprache Ihrer Zuhörer. Wenn Sie vor Kunden sprechen, dann sprechen Sie „kundisch".

86. Verblüffen Sie Ihre Zuhörer mit einem Wissen über diese, das sie von Ihnen gar nicht erwarten können.

87. Bieten Sie Ihren Zuhörern etwas, das diese als Fachleute eines Gebietes selbst noch nicht wissen.

88. Verwenden Sie die modernsten Begriffe. Bringen Sie Ihren Zuhörern auf behutsame Weise nah, was Sie unter dem einzelnen Begriff verstehen.

89. Sprechen Sie die Vorbehalte Ihrer Zuhörer frühzeitig an. Gehen Sie intensiv auf diese Vorbehalte ein.
Stellen Sie laut die Fragen, die die Zuhörer sich leise selber stellen.

90. Liefern Sie viele interessante Fakten, insbesondere Zahlen. Werden Sie der Experte für interessante und verblüffende Zahlen überhaupt.

91. Weisen Sie nicht immer auf Ihre lange Erfahrung und Ihre enge Verbundenheit mit der Vergangenheit hin.
Die meisten Zuhörer wissen nicht, wie sehr die Vergangenheit sie immer noch in den Händen hält. Geschichtskenntnis ist nicht sehr stark präsent.
Die meisten interessiert nur die Gegenwart und die Zukunft. Zeigen Sie Ihre Verbundenheit damit.
Bringen Sie aktuelles Material und bringen Sie Prognosen.

92. Sagen Sie unmißverständlich, was Sie meinen und vergewissern Sie sich, daß Sie richtig verstanden wurden.

93. Verdeutlichen Sie durch Wiederholungen.

94. Präsentieren Sie nicht nur das Ergebnis eines Denkprozesses, sondern lassen Sie Ihren gedanklichen Prozeß von Anfang bis zu Ende vor Ihren Zuhörern ablaufen. Zeigen Sie nicht nur die Spitze des Eisberges Ihrer gedanklichen Operation.

95. Sagen Sie, wo Sie hinwollen mit Ihrem Vortrag. Was ist Ihr Vortragsziel? Sagen Sie, warum Sie dieses Thema behandeln.

96. Sagen Sie Ihren Zuhörern, was Sie von ihnen erwarten und was Ihre Zuhörer tun sollten.

97. Übertreiben Sie niemals. Die Übertreibung gleicht der Lüge.

98. Verwenden Sie grundsätzlich keine Sprüche, die man immer wieder von Rednern hört.
Es sind das die Sprüche, die von vielen gedankenlos wiederholt werden.
Beispiel: „Ich kann Ihnen natürlich keine Rezepte liefern!"
Natürlich können Sie Rezepte liefern. Wozu haben Sie sich vorbereitet? Wozu sprechen Sie sonst überhaupt.
Rezepte sind realisierungsreife Empfehlungen. Vortragsaussagen sollten realisierungsreif sein.

99. Reden Sie nicht abstrakt. Bieten Sie konkrete Lösungen an.

100. Überprüfen Sie jeden Begriff, jede Frage, jede Überschrift.
Arbeiten Sie nicht mit Überschriften. Sagen Sie was Sie im einzelnen meinen.
Werden Sie speziell! Gehen Sie runter von der hohen Abstraktionsebene!

101. Bringen Sie nichts, was für den Zuhörerkreis uninteressant ist.
Beobachten Sie Ihre Zuhörer genau. Stellen Sie fest, bei welchen Aussagen Ihre Zuhörer besonders interessiert und wach sind.
Konzentrieren Sie sich auf diese Themen.

102. Zeigen Sie, daß Sie die Schwierigkeiten kennen, mit denen Ihre Zuhörer in der Praxis zu tun haben.

103. Geben Sie selber zu, daß bei der Realisierung Ihrer Empfehlungen Schwierigkeiten auftreten können. Sprechen Sie diese Schwierigkeiten an. Zeigen Sie, was sich machen läßt, um mit ihnen fertig zu werden.

104. Lassen Sie sich von Ihrer eigenen Begeisterungsfähigkeit nicht dazu bringen, von einem Thema zum anderen im Zick-Zack-Kurs hin und her zu springen.

105. Beginnen Sie kein Beispiel, ohne es dann auch zu vollenden.

106. Passen Sie auf bei Aufzählungen, damit Sie wissen, bei welcher Zahl Sie angekommen sind.

107. Strukturieren Sie jede Aussage gut:
   a) Vorfall – Problem – Chance
   b) Ursachen
   c) Auswirkungen
   d) Angestrebte Ziele
   e) Zu erwartende Hindernisse und Schwierigkeiten
   f) Mögliche Lösungen – Alternativen
   g) Vergleichende Bewertung der möglichen Lösungen
   h) Entscheidung für eine Lösung
   i) Konkreter Plan für die Realisierung
   j) Hilfe, die Sie dabei geben werden.

108. Nennen Sie die Vorteile Ihrer Vorschläge in Bezug auf
   a) Gewinn und Ersparnis
   b) Bequemlichkeit
   c) Sicherheit
   d) Anerkennung

109. Denken Sie beim Inhalt Ihres Vortrages an die Fülle von Funktionen, die er erfüllen muß:
   a) Aufmerksamkeit wecken
   b) Aufmerksamkeit erhalten
   c) Wohlwollen gewinnen
   d) Verständnis wecken
   e) Vorurteile nehmen
   f) Zustimmung bewirken
   g) Fragen beantworten
   h) Verblüffen
   i) Begeistern
   j) Realisierungsreife Empfehlungen liefern
   k) Handlungen auslösen
   l) Verhaltensveränderungen bewirken.

110. Bieten Sie alles so realisierungsreif wie möglich an.
Sie müssen sich als Experte für die Hilfe bei der Realisierung verstehen.
Ihr Erfolg ist das, was Ihre Zuhörer nach Ihrem Vortrag zustande bringen!

10. Tabus in Ihren Vorträgen

Zuhörer sind sehr empfindlich. Sie sind leicht zu verletzen.
Eine falsche Bemerkung und ein Stöhnen geht durch den gesamten Zuhörerkreis.
Die Aufgabe eines Redners ist es nicht, seine Zuhörerschaft oder einzelne Zuhörer zu kränken oder zu verletzen.
Es sind immer wieder die gleichen Themenbereiche, die das Werkzeug für eine Verletzung abgeben.
Treffen Sie für sich als Redner die Grundsatzentscheidung, Themen aus diesen Gebieten zu unterlassen.
Nachstehend finden Sie einige der Gebiete, die ein besonders gefährliches Terrain darstellen.

1. Körperliche Mängel, Gebrechen, Verletzungen, Krankheiten.
2. Unfälle
3. Tod
4. Körpergewicht
5. Körpergröße
6. Aussehen
7. Haarschnitt
8. Kleidungsgewohnheiten
9. Alter – Jugend (Lebensalter)
10. Titel
11. Berufszugehörigkeit
12. Tierliebe
13. Automarken
14. Religion
15. Politische Einstellung
16. Namen und Vornamen
17. Landsmannschaftliche Zugehörigkeit
18. Nationalität
19. Hobbies
20. Sexualität

11. Vortragspausen

1. Pausen gehören zu den wichtigsten Teilen eines längeren Vortrages. Nichts kann mit einer Pause konkurrieren. Pausen sind der Kaviar eines Vortrages.
2. Pausen sind angewandte Humanität. Ein Vortragender, der keine Pausen gewährt, ist ein Barbar.
   Senden ohne Pause ist reines Niederknüppeln.
3. 45 Minuten Vortrag sind genug. Dann ist eine Pause fällig.
4. 5 Minuten für eine Pause sind zu wenig. 10 Minuten sind wesentlich besser.
5. Jeder Ihrer Zuhörer muß wissen, daß Sie ihn immer wieder mit einer Pause beschenken werden.
6. Die Existenz von Pausen erhält die Hoffnung. Ihre Zuhörer konzentrieren sich mehr. Sie bleiben wach und aufmerksam. Sie wissen, im Gegengeschäft dafür erhalten Sie eine Pause.
7. Es gibt nichts, was den Diebstahl einer Pause rechtfertigt. Wer Pausenteile stiehlt, ist ein Dieb. Pausendiebstahl ist ein krimineller Akt.
8. Häufige Pausen vermindern die Hektik. Alles wird gelöster und menschlicher.
9. Pausenlosigkeit stumpft ab oder macht aggressiv.
   Was soll ein Zuhörer auch machen, wenn er annehmen muß, daß dieser Redner niemals aufhören wird.
   Der Zuhörer muß ihn unterbrechen. Am besten mit einem massiven Vorwurf. Vielleicht rettet sich dann der Redner in eine Pause. Damit wäre das Ziel erreicht.
10. Zu lange Vorträge lassen sich zwar halten, aber niemand kann ihnen mehr folgen. Nach einer bestimmten Zeit sind nur noch die Körper der Zuhörer anwesend. Der Geist hat den Raum verlassen.
    Der Vortragende spricht nur noch vor Zombies.
11. Zuhörer brauchen Muße und Entspannung, um das Gehörte auf sich einwirken zu lassen. Um es zu bedenken und um es zu verdauen. Aber auch, um es in einem kleineren Kreis intensiv zu besprechen.
    Die wirklich wichtigen Punkte werden in Pausengesprächen gebracht.
    In den Pausen sprechen die Zuhörer Einzelheiten an, über die sie in einem größeren Kreis niemals sprechen würden oder doch erst dann, wenn sie in einer Pause in einem kleineren Kreis vorher darüber sprechen konnten.
12. Zuhörer lieben es, eine Pause angekündigt zu bekommen. Für Sie ist es wie Weihnachten.
    Mit Pausenankündigungen lassen sich Begeisterungsstürme erzielen.
    Sagen Sie also immer wieder einmal: „In zehn Minuten kommt übrigens die nächste Pause!“ oder aber: „Jetzt noch 5 Minuten bis zur nächsten Pause!“
13. Festgelegte Pausen sind auf die Minute pünktlich zu beginnen. Bei Pausen hört das Zeitsparen auf.
    Für die Zuhörer geht es ganz automatisch. Blick auf die Uhr. Die Pausenzeit ist da. Die Zuhörer schalten ab.

14. Pausen sind die elegantesten Brücken zwischen Ihren Vortragsteilen.
15. Auch die Pause gehört zur Musik. Ein guter Musiker bewegt sich von Pause zu Pause.
16. Pausen liefern die Möglichkeit, die Batterien der Zuhörer aufzuladen. Ohne diese Aufladung kann die Sendung nicht weiter empfangen werden.
17. Fürchten Sie sich nicht vor Pausen! Keiner nimmt Sie Ihnen übel. Jeder ist dankbar dafür.
    Fürchten Sie nicht, die Zuhörer könnten denken, Sie wollten sich mit Hilfe der Pausen das Leben erleichtern.
    Fürchten Sie sich etwas mehr vor dem Verzicht auf Pausen.
18. Hüten Sie sich, eine Diskussion nach Ihrem Vortrag zu beginnen, ohne vorher eine kurze Pause gewährt zu haben.
    Ihre Zuhörer brauchen Zeit, um vom Empfangen auf das Senden umzuschalten. Liefern Sie diese Zeit. Dann bekommen Sie auch eine fruchtbare Diskussion.
19. Ein Vortragender der glaubt, seine Zuhörer würden ihn und seine Worte einer Pause vorziehen, unterliegt einer argen Täuschung.
20. Machen Sie einmal einen Test. Sagen Sie: „Wir machen jetzt eine Drei-Minuten-Pause. Anschließend bringe ich besonders interessanten Stoff. In dieser kurzen Pause lohnt es sich nicht, den Raum zu verlassen!"
    Noch niemals werden Sie eine Menge so schnell den Ausgangstüren zustreben gesehen haben, wie nach diesen Worten.

12. Das Ende Ihres Vortrages

1. Überlegen Sie sich sehr gut, wie Sie den Schlußteil Ihres Vortrages gestalten wollen. Er soll der Gipfel Ihres Vortrages werden.
2. Legen Sie Ihre Schlußformulierungen in vollständigem Wortlaut fest.
   Machen Sie sich diese Schlußworte völlig zu eigen, so daß sie frei gesprochen werden können.
3. Ihr Vortrag darf zum Schluß nicht flach werden und langsam versanden. Sie brauchen einen dramatischen Höhepunkt zum Schluß. Danach muß Schluß sein und Schluß bleiben. Fangen Sie nach dem Ende Ihres Vortrages nicht noch einmal an.
4. Sagen Sie nicht kurz vor Schluß, daß Ihre Zuhörer jetzt noch die Freude hätten, die letzten zwei Drittel Ihres Vortrages genießen zu dürfen.
5. Weisen Sie niemals darauf hin, daß Sie in fünf Minuten fertig sein werden, um dann nach einer halben Stunde immer noch dazustehen, so als wollten Sie Ihren Lebensabend in diesem Raum verbringen.
6. Sprechen Sie zum Schluß besonders gelöst und fröhlich, besonders zuversichtlich und eindringlich.
7. Wirken Sie nicht so, als wären Sie am Ende Ihrer Kräfte. Erwecken Sie nicht den Eindruck, das Ende des Vortrages und Ihr persönlicher Zusammenbruch würden zeitlich übereinstimmen.
8. Streben Sie zielbewußt auf das Ende Ihres Vortrages zu. Holen Sie nicht noch einmal groß aus. Machen Sie keine Umwege, machen Sie keine Spaziergänge auf thematischen Seitenwegen. Laufen Sie nicht noch drei Ehrenrunden.
9. Sprechen Sie nur wenige Sätze und besonders kurze Sätze. Machen Sie Pausen zwischen diesen Sätzen.
10. Geben Sie Ihren Zuhörern einige wenige besonders wichtige Empfehlungen mit auf den Weg.
11. Ermutigen Sie Ihre Zuhörer, geben Sie ihnen Hoffnung, geben Sie ihnen Optimismus.
12. Sehen Sie jeden Zuhörer noch einmal an. Danken Sie Ihren Zuhörern. Spenden Sie ihnen ein Lob.
13. Hören Sie auf zu sprechen, ehe man das herbeifleht.
    Hören Sie auf zu sprechen, bevor Sie keiner mehr hören kann.
    Hören Sie nicht erst auf zu sprechen, wenn Ihre Zuhörer unruhig werden, anfangen zu stöhnen und mit den Füßen zu scharren.
    Ein Redner der etwas früher aufhört, als man das erwartet hat, löst Verblüffung aus, die sich sehr schnell in Begeisterung verwandelt.
14. Ein außerordentlich wichtiger Punkt ist, daß niemand die Aufmerksamkeit Ihrer Zuhörer in der Schlußphase von Ihnen abzieht.
    Sorgen Sie also dafür, daß Hilfskräfte nicht anfangen herumzulaufen, während Sie Ihre Schlußworte sprechen.

15. Vielleicht erhalten Sie mit einer Bemerkung kurz vor dem Ende Ihres Vortrages einen stürmischen Applaus. Beenden Sie Ihren Vortrag sofort!
Vielleicht haben sich Ihre Zuhörer geirrt, vielleicht haben sie angenommen, der Vortrag wäre schon zu Ende.
Geben Sie Ihren Zuhörern recht. Der Höhepunkt ist erreicht. Ihre Zuhörer sind begeistert. Warum wollen Sie so kleinlich sein, genau nach Plan zu verfahren.
Grundsatz: Das Ergebnis ist wichtiger als der Plan!

16. Und wenn alles so läuft, wie Sie es geplant hatten, dann beweisen Sie zum Schluß ihre Menschlichkeit. Hören Sie pünktlich auf die Sekunde auf.
Das ist die größte Leistung, die ein Redner überhaupt zu vollbringen vermag.
Das wird Ihnen zweifachen Lohn einbringen. Applaus für Ihren Vortrag und Applaus für Ihre Pünktlichkeit.
Pünktlichkeit ist die Höflichkeit der Redner!
Also: Sie brauchen eine genaugehende, gut sichtbare Uhr!

17. Applaus werden Sie nur erhalten, wenn die Zuhörer wissen, daß Ihr Vortrag jetzt zu Ende ist.
Ihr letztes Wort muß also auf Anhieb als letztes Wort erkennbar sein.
Es muß unterstützt werden durch Ihre Mimik und Ihre Gestik. Auch sie müssen eindeutig erkennen lassen: „Ende – Vielen Dank!“

13. Die Beurteilung Ihres Vortrages

1. Hatte ich zu viel Zeit – zu wenig oder genau ausreichend?
2. Habe ich selber meinen Zeitplan eingehalten?
3. Habe ich zu schnell oder zu langsam gesprochen?
4. War ich gründlich genug vorbereitet?
5. Was hätte ich besser vorbereiten müssen?
6. Welche technischen Hilfsmittel haben mir gefehlt?
7. Welche technischen Einrichtungen hatten Mängel?
8. Was war organisatorisch hervorragend?
9. Was hat organisatorisch nicht funktioniert?
10. Welche Informationen haben mir und anderen gefehlt?
11. Welche Themen wurden von den Zuhörern als besonders nützlich empfunden?
12. Welche Themen sollte ich zukünftig nicht mehr behandeln?
13. Bei welchen Aussagen waren die Zuhörer besonders wach und interessiert?
14. Welche Themen habe ich zu oberflächlich behandelt?
15. Bei welchen Themen fehlten mir Tatsachen und Zahlen?
16. Welche Themen wurden zu wenig realisierungsreif behandelt?
17. Welche meiner Beispiele waren nicht gut?
18. Welche anderen Bauelemente sind aus dem Vortrag herauszunehmen?
19. Was erzeugte besonderen Applaus?
20. Was erzeugte den stärksten Enthusiasmus?
21. Was erzeugte Widerstand und Widerwillen?
22. Worüber machten sich die Zuhörer am meisten Notizen?
23. Welche meiner Fragen brachten die besten Diskussionsbeiträge und Anregungen?
24. Welche verbalen Aussagen will ich zukünftig visuell gestalten?
25. Welche Themen muß ich zukünftig unbedingt behandeln?
26. Wo bekomme ich hierfür Stoff?
27. Wie hätte ich meine Zuhörer noch stärker in die Zusammenarbeit einbeziehen können?
28. Welches zusätzliche schriftliche Material hätte ich für meine Zuhörer vorbereiten müssen?
29. Welche Ideen meiner Zuhörer sollte ich aufgreifen?
30. Was wurde besonders intensiv von den Zuhörern eingesehen, verstanden und behalten?
31. Was war an meinem Auftreten zweckmäßig und was war unzweckmäßig? Was habe ich also im einzelnen an meinem Vortragsverhalten zu ändern?
32. Welche Einfälle, die ich während meines Vortrages hatte, sollte ich auf gar keinen Fall verlorengehen lassen?

14. Die visuelle Kommunikation in Vorträgen

A. Der Tageslichtprojektor

In die Augen, in den Sinn! Mit den Augen können Ihre Zuhörer mehr aufnehmen als mit den Ohren.

Von dem, was Ihre Zuhörer sehen, behalten sie siebenmal so viel wie von dem, was sie nur hören.

Als Redner der Neuzeit sollten Sie ein Meister der visuellen Kommunikation sein. Ihre Zuhörer sind durch das Fernsehen verwöhnt.

Eine Ihrer besten Verbündeten für die visuelle Kommunikation ist der Tageslichtprojektor.
Das Klagelied eines Verlierers über den Gewinner bei einer Präsentation sagt alles: „Es scheint so zu sein, wer die besseren Transparente hat, bekommt automatisch recht."

1. Der Tageslichtprojektor ist eine der besten Hilfen für die visuelle Kommunikation: Sie können Ihre Vorträge viel leichter und bequemer halten. Mit den Transparenten besitzen Sie:
   a) Das Skelett Ihres Vortrages.
   b) Den logischen Aufbau.
   c) Die wichtigsten Aussagen.
   d) Die wichtigsten Fragen.
   e) Die notwendigen Beweise.
   f) Alle anderen Elemente, um Ihre Botschaft farbig zu gestalten.
2. Der Tageslichtprojektor liefert Ihnen die Sicherheit, Ihre angestrebten Kommunikationsziele zu erreichen.
3. Die Transparente Ihres Tageslichtprojektors sind Rettungsinseln. Es sind ruhende Pole. Während Ihres ganzen Vortrages können Sie sich daran festhalten. Sie sind Ihre Sicherheitsbasis.
4. Wie auch Ihr Vortrag oder die Diskussion läuft, mit dem nächsten Transparent können Sie die ganze Richtung neu bestimmen.
   Ein Transparent kann ein Schlußpunkt sein. Es kann ein neuer Start sein.
5. Der Tageslichtprojektor degradiert Sie nicht zum Vorführer.
   Sie bleiben der Herr des Vortrages. Der Tageslichtprojektor ist der perfekte Diener. Sie bestimmen, wann er tätig wird. Sie entscheiden, welches Transparent Sie wann zeigen wollen und auf welches Sie verzichten wollen.
6. Sie brauchen nicht aus dem Dunkel heraus zu sprechen. Der Raum bleibt hell. Sie bleiben sichtbar. Das Kommunikationsmittel stellt Sie nicht in den Schatten.
7. Sie wirken mit der Benutzung des Tageslichtprojektors professionell und vorbereitet. Sie vergessen wichtige Aussagen nicht. Sie sparen sehr viel Zeit.
8. Sie erleichtern Ihren Zuhörern die Kooperation mit Ihnen. Ihre Zuhörer begreifen schneller, erfassen mehr und sind schneller überzeugt.
9. Sie können leichter frei sprechen.

10. Sie sprechen disziplinierter. Sie kommen mehr zur Klarheit. Ihre wichtigsten Aussagen kommen eindeutig heraus.
11. Sie geraten nicht in Spannung. Und falls doch einmal, dann können Sie Spannungen schneller überwinden.
12. Sie haben viel schneller präsent, was Sie sagen wollten. Wenn Sie nur ein Manuskript haben, dann müssen Sie dessen Text erst für sich zu einer bildlichen Vorstellung verwandeln.
    Wenn Sie mit Transparenten arbeiten, liefern Ihnen diese sofort das Bild, das Sie vermitteln wollen.

B. Was Sie auf Transparenten bieten können

Texte und Bilder. Sie können fertige Transparente zeigen. Sie können vorbereitete Transparente während Ihres Vortrages mit Schrift und Zeichnungen ergänzen.
Die verschiedensten Botschaftselemente können Sie mit Hilfe von Transparenten darstellen:

1. Fotos
2. Bilder
3. Zeichnungen
4. Fakten
5. Zahlen
6. Schlagzeilen
7. Tabellen
8. Übersichten
9. Statistiken
10. Begriffe
11. Methoden
12. Systeme
13. Abbildungen von Gegenständen
14. Technische Zeichnungen
15. Werbetexte
16. Werbegraphik
17. Anzeigen
18. Buchtitel
19. Briefteile
20. Bilder und Texte von Zuhörern
21. Angaben über Leistungen von Zuhörern
22. Beispiele in Bild und Text

23. Appelle
24. Konkrete Empfehlungen
25. Wichtige Grundsätze
26. Lösungsformeln
27. Gesetze
28. Relevante Faktoren
29. Themenankündigungen
30. Gags – humorvolle Formulierungen
31. Fragenreihen – programmierte Unterweisung
32. Ihre zentralen Aussagen
33. Aufforderungsformulierungen
    a) um Fragen zu ermitteln
    b) um Antworten zu bekommen
    c) um Beispiele genannt zu bekommen
    d) um Aussagen beurteilen zu lassen.
34. Vorschläge
35. Alternativ-Vorschläge
36. Antworten auf die Fragen, von denen Sie wissen, daß sie aus dem Zuhörerkreis kommen werden.
    Das Transparent enthält dann die vorgesehene Frage in ihrer mutmaßlichen Formulierung und Ihre Antwort. (Sogenannte Hellseher-Transparente)!
37. Wirkungen
38. Nebenwirkungen
39. Vorteile
40. Nachteile
41. Befürchtungen
42. Hindernisse
43. Bewertungskriterien
44. Probleme
45. Chancen
46. Analysefragen
47. Fragen für die Entscheidungsbildung
48. Fragen um Ideen zu gewinnen
49. Stimulations- und Kooperationsfragen
    a) Sind Sie hiermit einverstanden?
    b) Ist das richtig?
    c) Entspricht das auch Ihrer Erfahrung?
50. Rhetorische Fragen
51. Stufenziele für die Entscheidungsbildung

52. Zwischenzusammenfassungen
53. Zusammenfassungen
54. Ergebnisse
55. Beweise
56. Aufforderungen zum Handeln
57. Realisierungshilfen
58. Regeln für die Zusammenarbeit
59. Ankündigung einer Pause
60. Ankündigung einer Diskussion
61. Anerkennende Formulierungen
62. Hinweise auf den Zeitfaktor
63. Hinweise auf Kosten
64. Zitate – (vielleicht mit einem Bild des Autors – Goethe oder ein A-Kunde).

C. Regeln für die Gestaltung von Transparenten

1. Jedes Transparent ist etwas Besonderes. Jedes Transparent ist ein Mannequin und keine graue Maus.
2. Entweder bietet das Transparent textlich und bildlich eine Meisterleistung oder es gehört nicht auf die Glasplatte.
   Nur wenn Transparente die Botschaft besser bringen können als das gesprochene Wort, sollten sie eingesetzt werden.
   Also fragen Sie sich bitte: Lohnt sich die Aussage überhaupt? Lohnt sie sich als textliche und bildliche Darstellung auf einem Transparent?
3. Werden Sie ein Visualisierungsexperte.
   Wie ein hervorragender Graphiker müssen Sie verbale Botschaften in Symbole und Bilder übersetzen können.
   Sie brauchen Kreativität, um Sachverhalte zu symbolisieren und textlich und bildlich in einfachster, eingängiger, einleuchtender Form darzustellen.
4. Ihre Transparente sind ein Machtmittel der Kommunikation. Sie organisieren das Ankommen Ihrer Sendungen. Die Form stärkt den Inhalt.
5. Seien Sie nicht kleinlich und zaghaft bei den Darstellungen auf Ihren Transparenten.
   Wählen Sie die plakative Lösung.
   Große Schriften. Große Buchstaben überrollen alles. Sie haben eine enorme Suggestivkraft. Sie brechen Widerstände. Große Buchstaben sind die Panzerfaust des Redners.
6. Geben Sie sich Mühe bei der Gestaltung Ihrer Transparente. Die Transparente sind es wert.
   Gute Transparente sind die Starverkäufer für Ihre Ideen.
   Gute Transparente erklären auch nicht erreichte Ziele leichter.
   (Defensiv-Transparente)!
   Gut gestaltete Transparente sind Positionserhaltungs-Versicherungen.

7. Wenn Sie für die Herstellung von Transparenten Zeit und Kosten bewerten, dann fragen Sie sich, was es Ihnen wert ist, Ihr Vortrags- oder Konferenzziel hundertprozentig zu erreichen.
Es gibt Vorträge und Präsentationen, die über die Positionssicherheit und die Karrierechancen des Redners maßgeblich entscheiden.
In einem solchen Fall ist es besser, ein Graphikerhonorar zu zahlen als später eine Bewerbung nach der anderen abschicken zu müssen.
8. Auf Ihre Transparente gehört ein Abbildungs- und Text-Minimum.
Welches Wort läßt sich noch streichen? Welches Wort ist nicht unbedingt erforderlich?
Nur Schlagworte. Keine vollständigen Texte. Der vollständige Text wird gesprochen.
Der Text auf dem Transparent muß gerade ausreichen, um die Botschaft schlagartig zu verstehen.
9. Auf ein Transparent gehören höchstens 6–7 Zeilen. Eine Zeile sollte nicht mehr als 6–8 Wörter haben.
10. Das einzelne Transparent soll nur ein Thema behandeln. Es soll nicht alle Probleme dieser Welt mit einer Abbildung lösen wollen.
11. Das Transparent darf nichts enthalten, was verwirrt.
12. Der Inhalt muß gut gegliedert sein.
13. Es muß Ordnung darauf herrschen. Eine klare eindeutige Darstellung. Linien. Die Fluchtlinie bei den Zeilen einhalten. Symmetrie. Kein Chaos.
14. Keine Zeilen, die dicht aneinander kleben. Zwischen den Zeilen mehr Raum.
15. Numerieren Sie die einzelnen Punkte.
16. Setzen Sie Farbe ein,
    a) um Ihre Transparente freundlicher wirken zu lassen
    b) um das Wichtigste hervorzuheben
    c) um Zusammengehöriges miteinander zu verbinden
    d) um Informationskonstanten zu haben
    e) um zu ordnen
    f) um richtig und falsch darzustellen (grün oder rot).
17. Die Schrift auf den Transparenten ist fast immer zu klein.
Normale Schreibmaschinenschrift reicht nicht aus. Plakatschrift, z.B. IBM-Orator-Schrift, ist groß genug für einen kleinen Kreis von Zuhörern.
Je größer die Schrift, um so besser. Das Lesen darf keine Mühe machen.
Setzen Sie sich selber in die letzte Reihe und prüfen Sie, wie gut Ihre Transparente zu erkennen sind.
18. Verwenden Sie nicht zuviele unterschiedliche Schriften und Schriftgrößen. Verhindern Sie Unruhe.
19. Verwenden Sie nicht nur reineTextransparente. Mehr Strichzeichnungen. Mehr Bilder. Mehr Abbildungen. Mehr Fotos.
20. Verwenden Sie Transparente, die Sie während Ihres Vortrages komplettieren können.
Das Transparent enthält bereits eine textliche und bildliche Basis.
Ihre Zuhörer arbeiten mit. Sie helfen das Transparent zu ergänzen.

21. Schreiben Sie die Ergänzungen so, daß jeder Ihre Schrift lesen kann.
    Kokettieren Sie nicht mit der Unleserlichkeit Ihrer Schrift.
22. Arbeiten Sie mit der Überlegertechnik.
    Zerlegen Sie einen Prozeß, den Sie zeigen wollen, in einzelne Teile.
    Legen Sie dann eine Folie über die andere.
    Sie können damit auch Alternativen zeigen.
    a) falsch oder richtig
    b) mögliche Antworten
23. Prüfen Sie jedes fertige Transparent, wie Sie es noch verbessern können.
    Zerschneiden Sie es. Montieren Sie es neu. Stellen Sie ein besseres Transparent daraus her.
24. Schützen Sie wertvolle Transparente durch eine Schutzfolie auf der Vorderseite und auf der Rückseite.
25. Sondern Sie alle defekten, verschmutzten, nicht mehr makellosen Transparente aus.
    Vor Ihnen liegen sie etwa im A 4-Format.
    Ihre Zuhörer hingegen sehen die Abbildungen auf der Leinwand im Format von
    2 x 2 m oder noch größer!

D. Die technische Herstellung von Transparenten

1. Sie können die Vorlagen für Ihre Transparente einfach herstellen:
   a) handschriftlich
   b) mit IBM-Orator-Schreibmaschinenschrift
   c) mit dauerhaft hitzebeständigen 3M Varia-Abreibebuchstaben
   d) mit dem Graphiker-Stempelkasten
   e) im Fotosatz
2. Als Vorlagen können Sie auch Fotos sowie Texte und Abbildungen aus Zeitungen, Zeitschriften, Büchern, Katalogen, Prospekten, Anzeigen oder anderen Werbemitteln verwenden.
3. Von der montierten Vorlage können Sie auf Ihrem Kopiergerät eine Kopie herstellen. Von dieser anschließend das Transparent.
4. Mit Ihrem Normalpapier-Kopierer können Sie positiv schwarz zeichnende Transparente auf klarem Untergrund herstellen.
5. Auf einem Thermo-Kopierer (Infrarot-Verfahren) können Sie folgende Transparente anfertigen:
   a) positiv schwarz zeichnend auf klarem Grund
   b) positiv schwarz zeichnend auf klarem, blau getöntem Untergrund
   c) positiv schwarz zeichnend auf farbigem Untergrund – rot, gelb, blau, grün
   d) negativ zeichnend auf schwarzem, rotem, blauem Untergrund.
6. Mit einem Kopierer, der nach dem Dual-Spectral-Verfahren arbeitet, können Sie folgende Transparentarten herstellen.
   a) positiv schwarz zeichnend auf klarem Untergrund
   b) positiv schwarz zeichnend auf farbigem Untergrund – in den Farben: rot, grün, blau, gelb.

7. Transparente mit schwarzem Text auf klarem Untergrund können Sie folgendermaßen farbig gestalten:
   a) Mit selbsthaftender Farbfolie. Diese können Sie dahinterkleben oder Ausschnitte davon herstellen und diese dahinterkleben.
   b) Mit wasserunlöslichen Faserstiften.

E. Gerahmte Transparente als Manuskript

1. Das Transparent kleben Sie in einen Rahmen.
2. Die Rahmen können Sie für die geordnete Aufbewahrung Ihrer Transparente numerieren und mit farbigen Symbolen versehen.
3. Auf dem Rahmen können Sie Stichworte für Ihre gesprochenen Kommentare unterbringen.
4. Sie können diese Stichworte in großer Schreibmaschinenschrift schreiben lassen und dann auf den Rahmen kleben.
5. Wenn Sie überhaupt keine Papiermanuskripte einsetzen wollen, dann könnten Sie auch vom unteren Teil des Transparentraumes etwas Platz opfern.
   Darüber können Sie dann eine Viertelseite kleben. Auf dieser lassen sich viele Stichworte für Ihren Vortrag unterbringen.
6. Sie können auch einen A 4-Manuskript-Bogen auf die linke Rahmenseite kleben. Wenn Sie das Transparent dann zeigen wollen, brauchen Sie das Manuskript einfach nur zur Seite zu klappen.
7. Wichtig ist es, daß Sie während Ihrer Präsentation zusammengehörige Papiermanuskripte und Transparente auf Anhieb zusammen verfügbar haben.
   Schönheit ist der Glanz der Ordnung. Sicherheit aber auch.
   Es darf während Ihrer Präsentation keine hektische Sucherei losgehen.
   Was zusammengehört, sollte so eng wie möglich miteinander verbunden sein.

F. Das Arbeiten mit dem Projektor

1. Ihr Projektor muß sauber sein.
2. Benutzen Sie eine größere Leinwand.
3. Stehen Sie nicht im Bild.
4. Legen Sie nicht die Hand auf die Projektorfläche.
5. Verwenden Sie keine Transparente in Plastikhüllen, deren Heftlöcher auf der Leinwand zu sehen sind.
6. Schalten Sie den Projektor häufig aus und an, um Aufmerksamkeit zu wecken und zu halten.
7. Legen Sie das Transparent auf, und schalten Sie erst dann das Licht ein.

8. Bewegen Sie das Transparent nicht. Verschieben Sie es nicht, während der Projektor eingeschaltet ist.
Das stört Ihre Zuhörer.
9. Lassen Sie das Transparent lange genug aufliegen, so daß es wirklich erfaßt werden kann.
10. Müssen Ihre Zuhörer etwas mitschreiben, dann lassen Sie Ihnen auch die Zeit dafür.
Es demoralisiert jeden, wenn er nur die Hälfte des Transparenttextes schafft.
Sorgen Sie dann lieber dafür, daß die Transparenttexte auch in gedruckter Form ausgegeben werden können.
11. Lesen Sie nicht einfach den Text des Transparentes ab, sondern geben Sie einen anders formulierten Kommentar.
12. Lassen Sie sich nicht von den Transparenten vom freien Sprechen abbringen.
13. Schalten Sie den Projektor aus, wenn Sie länger zu dem Thema sprechen.
Machen Sie sich mit dem Projektor nicht selber Konkurrenz.
14. Lassen Sie auf dem Transparent für Ihre Zuhörer nur das sehen, was Sie gerade besprechen.
Decken Sie die anderen Text- und Bildteile mit einem weißen Bogen ab.
Sie können durch diesen weißen Bogen hindurchsehen. Für Sie ist er transparent.
Ihre Zuhörer können auf der Leinwand den abgedeckten Transparentinhalt nicht sehen.
15. Wählen Sie Ihre Faserschreiber sorgfältig aus.
16. Schreiben Sie nicht zu dünn und nicht zu klein.
17. Verwenden Sie keine ausgetrockneten Stifte.
18. Kleben Sie das Projektorkabel am Boden fest, damit Ihnen nicht jemand den Projektor vom Tisch reißt.
19. Probieren Sie vor einem Vortrag oder einer Konferenz wie man eine Projektorlampe auswechselt.
20. Wenden Sie sich nicht mit dem ganzen Körper dem Projektor zu.
Wenden Sie nur den Kopf zum Projektor hin.
Bleiben Sie selber Ihren Zuhörern zugewandt.
Blicken Sie sich nicht um, um auf die Leinwand zu sehen.
21. Das Arbeiten mit dem Tageslichtprojektor ist nicht die Vorführung einer Tonbildschau.
Sie sind nicht Vorführer, sondern der Tageslichtprojektor ist Ihr Gehilfe.
Wichtig ist deshalb, daß Sie sich über die Zahl der Transparente Gedanken machen.
Setzen Sie nicht zu wenige aber auch nicht zu viele Transparente ein.

Teil 2: Professionelle Verhandlungs- und Überzeugungstechnik

Inhaltsverzeichnis

1. Strategieregeln für Verhandlungen

1. Ist es überhaupt richtig zu verhandeln?
2. Ist es zweckmäßig, daß Sie selber verhandeln oder sollte das ein anderer für Sie tun?
3. Legen Sie fest, mit wem Sie nicht verhandeln werden. Bestimmen Sie, in wessen Nähe Sie nicht geraten wollen, wen Sie sich vom Leibe halten müssen.
   a) Setzen Sie sich nicht mit Leuten an einen Tisch, die anschließend mit dem Tisch verschwinden.
   b) Reichen Sie niemandem die Hand, der sie Ihnen nicht zurückgibt.
   c) Halten Sie sich von dem Typ fern, der nach Ihnen die Drehtür betritt und vor Ihnen herauskommt.
4. Bedenken Sie vor jeder Verhandlung die möglichen Ergebnisse und deren Auswirkungen.
   Prüfen Sie Ihre letzten Verhandlungsergebnisse. Welche haben Ihnen Vorteile gebracht? Welche Nachteile? Welche Verhandlungen hätten Sie besser vermieden?
5. Rechtfertigt das mögliche Ergebnis die Verhandlung?
   a) Lohnt das Ziel den Aufwand?
   b) Welche negativen Nebenwirkungen können entstehen?
   c) Was würde das angestrebte Ergebnis wirklich bedeuten? (Noch ein Erfolg dieser Art und wir sind am Ende!)
6. Auf jedem Betätigungsgebiet gibt es Politiker und Techniker.
   Der Politiker fragt: Warum überhaupt? – Was?
   Der Techniker fragt: Wie?
   Vor jeder Verhandlung steht die politische Frage.
7. Geraten Sie nicht in eine Verhandlung hinein, bei der Sie sich fragen müssen, wie Sie dort hingekommen sind und was Sie dort tun!
   Wer sich in Verhandlungen begibt, kann darin umkommen.
   Der Eintritt in Verhandlungen ist das Öffnen der Tür.
8. Gehen Sie nur in Verhandlungen hinein, deren Ergebnisse Sie später verkraften können. Prüfen Sie, was Sie dazu benötigen:
   a) Fähigkeiten
   b) Kapazität
   c) Zeit
   d) finanzielle Mittel
   e) Belastbarkeit
9. In welche Situation werden Sie geraten, wenn Ihr Vertragspartner den Vertrag nicht einhält oder einhalten kann?
10. In welche Situation werden Sie kommen, wenn Sie den angestrebten Vertrag nicht einhalten können?

11. Vergleichen Sie das erzielbare Ergebnis mit der daraus resultierenden Schwächung und den Verlusten an anderer Stelle.
Was müssen Sie für dieses Ergebnis von anderer Stelle abziehen an
a) Zeit
b) finanziellen Mitteln
c) Mitarbeitern
d) Energie.

12. Werden Sie sich klar über die Anforderungen nach einem bestimmten Verhandlungsergebnis.
Fahrlässig ist die Einstellung: „Das läuft ohne zusätzlichen Aufwand nebenher!"
Was man ohne Mühe und Kosten nebenbei gewinnen kann, muß man meist am teuersten bezahlen.

13. Konzentrieren Sie sich gedanklich nicht nur auf die eine positive Hauptwirkung eines möglichen Verhandlungserfolges.
Gehen Sie auf die Suche nach negativen Nebenwirkungen.

14. Betrachten Sie das Ganze aber auch positiv. Es könnte sein, daß die angestrebte positive Hauptwirkung noch übertroffen wird durch positive Nebenwirkungen, auf die man auch sehr frühzeitig hätte kommen können.

15. Kämpfen Sie nicht um Ergebnisse, die Ihnen anschließend Enttäuschungen bringen werden.
Kissinger: „Die schlimmsten Tragödien entwickelten sich dann, wenn die Menschen erreichten, was sie wollten, und sich herausstellte, daß sie das Falsche errangen!"

16. Was sind die Motive, die Sie wirklich veranlassen in diese Verhandlung zu gehen und bestimmte Ergebnisse anzustreben?

17. Es gibt den fahrlässigen Start!
Gründe:
a) Schwierigkeiten und Hindernisse in der Gegenwart
b) Erwartete Schwierigkeiten für die Zukunft
c) Furcht – Streben nach Sicherheit
d) Schielen auf die Konkurrenz – Neid – wir auch – zuvorkommen wollen
e) Expansionswut – Gier
f) Falsche Interpretation der eigenen Reputation – darauf können wir nicht verzichten – man erwartet das von uns.
g) Taktische Situation bewirkt eine strategische Konsequenz.
h) Eigene Begeisterung
i) Das Verkaufstalent anderer
j) Geltungssucht
k) Stimmung

18. Gehen Sie nicht aus Furcht in Verhandlungen. Lassen Sie sich durch Ereignisse weniger einschüchtern und antreiben.
Lassen Sie sich nicht jeden Kampf aufzwingen. Werden Sie nicht auf allen möglichen Kriegsschauplätzen vorbeugend oder reagierend tätig.
Fragen Sie sich:
a) Bedroht uns das jetzt?
b) Bedroht uns das später?
c) Wie stark gefährdet es uns?
d) Was verlieren wir, wenn wir nicht reagieren?
e) Wovon hält es uns ab, wenn wir reagieren?
Wo werden wir dadurch geschwächt?

19. Schließen Sie keine Verträge zu ungünstigen Bedingungen in der Gegenwart ab, nur weil Sie die Zukunftschancen zu negativ beurteilen.

20. Lassen Sie sich nicht aus Furcht vor einer möglichen schwierigen Situation in drei oder fünf Jahren in eine Verhandlung ein, durch die Sie in eine tatsächlich katastrophale Situation in der Gegenwart geraten.

21. Schließen Sie keine Verträge ab, deren Wirkung zu weit in die Zukunft hineinreicht. Fürchten Sie sich nicht so vor der Zukunft, daß Sie Ihre Freiheit, Ihren Spielraum, Ihre Handlungsfähigkeit auf Jahre hinaus verkaufen.
Sie wissen gar nicht, wie schnell sich die Bedingungslagen ändern können.

22. Lassen Sie sich nicht durch falsche Analogieschlüsse auf bestimmte Ziele und Maßnahmen ein.
Vielleicht liegt eine völlig unvergleichbare Lage vor.
Richtige Analogieschlüsse bringen hervorragende Ideen.
Falsche Analogieschlüsse kosten 340000 Menschenleben; (der Kessel von Stalingrad war eben nicht vergleichbar mit dem Kessel von Demjansk).

23. Seien Sie extrem vorsichtig im Eingehen von Verpflichtungen.
a) Verpflichten Sie sich niemals, ohne die möglichen Auswirkungen und ihre Bedeutung genauestens zu studieren.
b) Gehen Sie grundsätzlich nur das mögliche Minimum an definitiven Verpflichtungen ein.
Dies ist einer der wichtigsten Grundsätze der britischen Diplomatie seit Jahrhunderten.

24. Fesseln Sie sich nicht selber ohne Not. Geraten Sie nicht in verpflichtende Verknüpfungen ohne absolute Notwendigkeit. Halten Sie sich die Optionen offen.

25. Seien Sie vorsichtig in Verhandlungen, in denen andere Sie zum Verbündeten gewinnen wollen.
a) Lassen Sie sich nicht auf Abenteuer ein.
b) Verlieren Sie nicht Ihre Zukunftszeit.
c) Zersplittern Sie nicht Ihre Kräfte.
d) Sorgen Sie dafür, daß Sie später nicht die Fehler Ihrer Partner gutmachen müssen und deren Schwächen durch zusätzliche eigene Kraftanstrengungen ausgleichen müssen.
Prüfen Sie, was Ihnen ein möglicher Verbündeter gibt – schöne Worte, farbige Kataloge von Chancen, Aussichten auf goldene Berge.
Und das kann er Ihnen nehmen: Zeit, finanzielle Mittel, Reputation, Gesundheit.

26. Legen Sie Ihre Verhandlungsziele, Ihren Verhandlungsstufenplan und Ihre Verhandlungsmittel schriftlich präzise fest.

27. Sorgen Sie dafür, daß Ihr Verhandlungsplan nicht gleich von jemandem bei Ihrem Verhandlungspartner abgeliefert wird.
Sonst sind Sie von vornherein abgebrannt und bar jeder Chancen.

28. Bestimmen Sie die Bedeutung Ihrer Verhandlungsziele.
a) Was ist für Sie lebenswichtig?
b) Was ist von großer Bedeutung?
c) Was ist weniger wichtig?
d) Wo können Sie Zugeständnisse machen?

29. Gehen Sie gerüstet in Verhandlungen. Beginnen Sie keine Verhandlung ohne Aufmarschplan und Bewaffnung.
Bereiten Sie sich vor. Nehmen Sie sich Zeit. Fangen Sie nicht in letzter Minute damit an.

30. Wählen Sie den Verhandlungsort sorgfältig aus.

31. Verhandeln Sie mit den richtigen Personen auf der angemessenen Ebene.

32. Wählen Sie den günstigsten Termin aus.

33. Wählen Sie eine Tageszeit, zu der Sie frisch und geistig auf der Höhe sind.

34. Gehen Sie nicht ermüdet in eine Verhandlung. Nicht sofort nach einer strapaziösen Autofahrt.

35. Verhandeln Sie im Vollbesitz Ihrer geistigen Kräfte.
Vermeiden Sie geistige Getränke. Nicht jeder kann sie sich so zum Verhandlungswerkzeug machen, wie der österreichische Staatsmann Figl.

36. Achten Sie auf die unterstützende Wirkung Ihres Auftretens
a) Vitalität
b) Aussehen
c) Körperhaltung
d) Körperpflege
e) Kleidung.

37. Betrachten Sie keine Verhandlung als Routine-Angelegenheit. Leisten Sie sich keine Nachlässigkeit.

38. Gehen Sie entschlossen und mit Erfolgswillen in eine Verhandlung. Verhalten Sie sich nicht lustlos und lau. Eine Verhandlung ist kein entspannendes warmes Duschbad.
Verhalten Sie sich offensiv. Lassen Sie sich nicht in die Defensive drängen, auch nicht durch die eigene Einstellung.
Handeln Sie mit Kraft und Nachdruck.
Fassen Sie die erforderlichen Kräfte zusammen.
Lassen Sie sich nicht ablenken.

39. Seien Sie sofort zu Beginn stark. Setzen Sie beim ersten Anlauf massiv Kraft ein, um Erfolg zu haben.
Für jeden weiteren Versuch benötigen Sie zunehmend mehr Kraft. Deshalb ist es so wichtig, stark zu sein beim Führen des ersten Schlages.

40. Lassen Sie weniger auf sich zukommen. Reagieren Sie weniger. Geraten Sie nicht in Zugzwang.
Es ist wie im Verkauf. Am besten läßt man Widerstände und Einwände erst gar nicht entstehen.
Ein Verkäufer der nur reagiert, versteht nichts vom schöpferischen Verkaufen.
(„Hätten Sie nicht noch einen Einwand, ich habe hier nämlich noch ein Argument!“)

41. Legen Sie fest, welche Positionen Sie auf gar keinen Fall aufgeben werden.
Prüfen Sie dann sehr genau, ob und wieweit diese Entscheidung richtig ist. Bleiben Sie anschließend fest.

42. Erbringen Sie keine inhaltlichen Vorleistungen, wenn Sie damit rechnen müssen, daß Ihr Partner gar nicht daran denkt, diese durch Gegenleistungen zu honorieren.
Vielleicht fordern Sie seine Gier nur noch mehr heraus.

43. Bringen Sie jedoch Vorleistungen auf dem Gebiet der Atmosphäre. Vielleicht gelingt es Ihnen damit, Gegenleistungen in der Substanz zu erringen. Dies ist ein guter Tausch – Form gegen Inhalt!

44. Sie werden zum Spielball Ihres Verhandlungspartners, wenn Sie ein Ergebnis um jeden Preis brauchen oder ein Ergebnis bis zu einem bestimmten Zeitpunkt haben müssen.
Ihr Verhandlungspartner muß von Anfang an wissen, daß Sie nicht jeder Bedingung zustimmen werden.

45. Zur Verhandlungsfähigkeit überhaupt gehört es, daß man in der Lage ist, eine gespannte Stimmung zu ertragen.
Wer nicht die Fähigkeit hat, in der Kälte zu verhandeln, der sollte sich anderen Aufgaben zuwenden.

46. Die Stärke einer Persönlichkeit zeigt sich nicht in der Offensive, sondern in einer Situation der Defensive.
Wie stark eine Persönlichkeit ist, läßt sich erst aus ihrem Verhalten in Rückzugssituationen erkennen.
Verlieren Sie nicht die Nerven, wenn Sie angegriffen werden.
Bleiben Sie fest auch in der Defensive. Lassen Sie sich nicht durch Furcht, große negative Vorstellungskraft oder durch Panik zum Anbieten von unsinnigen Zugeständnissen verleiten.
Lassen Sie sich nicht einschüchtern.
(Die Engländer unterzeichneten die Kapitulation in Singapur zu einem Zeitpunkt, als den Japanern die Munition ausgegangen war.)

47. Lehnen Sie Forderungen, die Sie nicht erfüllen können oder wollen, definitiv ab.
Erhalten Sie bei Ihrem Gesprächspartner nicht die Hoffnung, Sie würden Ihre Position zum Schluß doch noch aufgeben.
Machen Sie die Tür ganz zu. Legen Sie die Kette vor.
Eine schwächliche Ablehnung ist eine halbe Zusage.

48. Machen Sie niemals Zusagen, die Sie nicht halten können.

49. Machen Sie sich keine Illusionen. Reden Sie sich nicht ein, Sie könnten erst einmal ein Zugeständnis machen, über das sich später dann immer noch reden ließe. Belügen Sie sich nicht mit der Einstellung, es wird schon gutgehen.
Es wird nicht gutgehen. Sie werden sich vertraglich festlegen und Ihr Partner wird die Erfüllung des Vertrages verlangen.
Kämpfen Sie vor Vertragsabschluß mit größter Hartnäckigkeit um jeden einzelnen Punkt. Fangen Sie damit nicht erst nach Vertragsabschluß an. Dann ist alles gelaufen.

50. Sorgen Sie dafür, daß jedes mögliche Mißverständnis vor Abschluß einer Verhandlung ausgeräumt wird.
Sehr schnell reduzieren sich sonst „Bindungen“ auf „Verbindungen“.

51. Fürchten Sie sich nicht vor Kritik. Weder vor der Kritik des Verhandlungspartners, noch vor der Kritik anderer.
Die Furcht vor Kritik ist eine der häufigsten Ursachen für unsinnige Zugeständnisse. Lernen Sie, Kritik mit größter Gelassenheit zu ertragen.

52. Lassen Sie sich nicht suggerieren, Sie hätten die moralische Verpflichtung, jeglicher Forderung zuzustimmen. Lassen Sie sich keine Schuldkomplexe einreden.

53. Lassen Sie sich nicht unter Druck setzen.
Bleiben Sie standhaft.

54. Versuchen Sie es nicht, jedem recht zu machen.
Versuchen Sie nicht, unter Aufgabe aller Positionen, der Freund aller zu werden. Betteln Sie nicht mit Geschenken um Wohlwollen.
Ertragen Sie mit heiterer Gelassenheit die Existenz von Gegnern und die mürrischen Reaktionen derjenigen, denen es nicht gelungen ist, von Ihnen zum Nulltarif bedient zu werden.

55. Versuchen Sie sich nicht in der Gegenwart vor Schwierigkeiten zu drücken und eine positive Atmosphäre zu schaffen, in dem Sie wahnwitzige Zusagen für die Zukunft machen.

56. Zerstören Sie nicht Ihre Zukunft, nur um es in der Gegenwart etwas leichter zu haben, weniger leisten zu müssen oder aus einer Verpflichtung herauszukommen.

57. Ihre Standfestigkeit wird nicht immer gleich sein. Deshalb ist es wichtig, daß Sie einmal überprüfen, in welchen Zeiten, Situationen, unter welchen Umständen, an welchen Orten, Sie am stärksten gefährdet sind, Ihre Verteidigungsfähigkeit zu verlieren.
Wann und wo ist es erfahrungsgemäß leicht, von Ihnen Zugeständnisse zu erhalten? Die Antwort auf diese Frage sagt Ihnen, wann und wo Sie sich nicht auf Verhandlungen einlassen sollten.

58. Erkennen Sie die für Sie wichtigsten Faktoren einer Verhandlung genau.
Konzentrieren Sie auf diese Faktoren überdimensionale Mittel der Vorbereitung, der Argumentation und der Standfestigkeit.
Seien Sie stark am entscheidenden Punkt. Setzen Sie hier Ihre Reserven ein. Machen Sie nicht den Strategiefehler der Unterdosierung. Die ist nicht nur gefährlich bei Antibiotica.
Sie müssen am entscheidenden Punkt mehr Kraft besitzen als der Verhandlungspartner. Am entscheidenden Punkt hört die Sparsamkeit auf.

59. Betrachten Sie den Vorschlag Ihres Verhandlungspartners nicht als unveränderliche Basis.
Lassen Sie sich nicht von der „Friss oder stirb“ - Argumentation beeindrucken. Unterbreiten Sie phantasievoll Gegenvorschläge.

60. Prüfen Sie, welche Positionen Sie aufgeben sollten, um dafür an anderer Stelle wichtige Positionen einnehmen zu können.

61. Das Halten welcher Positionen gefährdet den Gesamterfolg?

62. Binden Sie sich nicht selber, in dem Sie in einem selbstgewählten Kessel verharren.

63. Geben Sie sinnlose Positionen auf, auch wenn das Erringen dieser Positionen einmal außerordentlich teuer war.

64. Lassen Sie es sich etwas kosten, aus einer Position herauszukommen, deren Halten Sie nur schädigt. Zahlen Sie Abfindungen,um auf gewonnenes, inzwischen gefährdendes Gelände zu verzichten.
Einer der größten Strategiefehler besteht darin, mit allen Kräften eine Position zu halten, die einen insgesamt zerstört.
Um das Ganze zu retten, muß man sich manchmal von Teilen trennen.

65. Verfolgen Sie angebahnte Chancen nachdrücklich und mit großer Willenskraft. Investieren Sie Zeit für die Verfolgung. Organisieren Sie das Verfolgen angebahnter Chancen.

66. Ergebnisse im Konkurrenzkampf sind häufig der Lohn einer entschlossenen, schnellen Verfolgung von Chancen.
Dranbleiben! Schnelligkeitsprogramm! Lassen Sie sich nicht lähmen. Lassen Sie sich nicht Zeit. Gehen Sie nicht lasch vor.
Wenn Sie einen Vorsprung gewonnen haben, dann sammeln Sie schnell die Früchte dieses Vorsprungs ein. Ruhen Sie sich nach einer Verhandlung nicht erst einmal aus!
Planen Sie das Follow-up einer Verhandlung bereits vor der Verhandlung. Eine Verhandlung ist immer nur eine Stufe in einem Stufenplan. Organisieren Sie die Bereitstellung der Mittel, um sofort nach der Verhandlung den Erfolg zu sichern und auszubauen.

2. Verhandlungsvorbereitung

1. Wann ist der günstigste Termin?
2. Wann soll die Verhandlung beginnen?
3. Wann soll sie beendet sein?
4. Wo?
5. Welcher Raum eignet sich am besten?
6. Sitzordnung?
7. Pausen?
8. Bewirtung?
9. Was kann außerdem geschehen, um eine günstige Verhandlungsatmosphäre zu schaffen?
10. Wer hat von uns an der Verhandlung teilzunehmen?
11. Wer hat von der anderen Seite an der Verhandlung teilzunehmen?
12. Welche Verhandlungsaufgaben hat der einzelne Teilnehmer von unserer Seite zu übernehmen?
13. Wie hat er sich auf die Verhandlung vorzubereiten?
14. Wie erfolgt unsere Kooperation in der Verhandlung?
15. Welches sind unsere Maximal-Ziele?
16. Welches sind unsere Mindest-Ziele?
    Welche Positionen dürfen nicht aufgegeben werden?
17. Welche Themen wollen wir behandeln?
18. In welcher Reihenfolge?
19. Welche Themen wollen wir auf keinen Fall behandeln?
20. Welche Informationen wollen wir uns geben lassen?
21. Welche Informationen wollen wir selber liefern?
22. Wie wollen wir die Situation, die Lage, die Probleme, die Chancen darstellen?
23. Wie wollen wir die wünschenswerten Ziele präsentieren?
24. Welche Lösungen wollen wir vorschlagen?
25. Mit welchen Vergleichen und Beispielen wollen wir unsere Lösung anschaulich darstellen?
26. Welche Beweise wollen wir einsetzen?
27. Mit welchen Beurteilungsmaßstäben wollen wir verschiedene mögliche Lösungen bewertend vergleichen?
28. Mit welchen Vorschlägen und Forderungen müssen wir rechnen – wie wollen wir diese beantworten?
29. Was können wir vorbeugend tun, damit bestimmte Forderungen erst gar nicht aufgestellt werden?

3. Die Einschätzung des Verhandlungspartners

1. Was ist er für ein Typ?
2. Welche Entwicklung hat er hinter sich?
3. Welche Erfahrungen haben wir und andere bereits mit ihm gemacht?
4. Wie anständig, ehrlich und vertrauenswürdig ist er?
5. Wie großzügig – wie fair?
6. Wie zuverlässig?
7. Wie diskret?
8. In welcher Lage befindet er sich?
9. Wie wird seine Zukunft aussehen?
10. In welcher Machtposition befindet er sich im Vergleich zu uns?
11. Wie ist seine Machtstellung innerhalb seiner Organisation?
12. Wie sind seine Beziehungen zu seinem Vorgesetzten, seinen Kollegen und seinen Mitarbeitern?
13. Welche Befugnisse besitzt er?
14. Von welchen Personen ist er abhängig?
15. Welche Einstellung haben diese Personen?
16. Welche Verbindungen hat er zu unseren Wettbewerbern oder Gegnern?
17. Was sind die besonderen Merkmale seiner Verhandlungsweise?
18. Wie trifft er seine Entscheidungen?
19. Welche Verhandlungsergebnisse strebt er an?
20. Was sind die Mindest-Ergebnisse, die er erzielen muß?
21. Was muß er jetzt erreichen oder verhindern, um sich für die Zukunft abzusichern?
22. Was ist aus Prestigegründen für ihn wichtig?
23. Was interessiert ihn besonders?
24. Was weiß er bereits – was noch nicht?
25. Was glaubt er – was nicht?
26. Was findet er gut – was nicht?
27. Was stört ihn?
28. Was fürchtet er?

4. Die spezielle Vorbereitung für eine Verkaufsverhandlung

A. Die bisherige Entwicklung der Zusammenarbeit mit dem Kunden:

1. Wie hat sich *unser Umsatz mit diesem Kunden* entwickelt?
2. Von welchen Erzeugnissen kauft er die für ihn *ausreichende Menge?*
3. Von welchen kauft er *zu wenig?*
4. *Welche kauft er nicht?*
5. Welche anderen *Möglichkeiten der Zusammenarbeit* mit uns nutzt er nicht?

B. Die Analyse des letzten Besuches:

1. Womit hatte ich *Erfolg?* – Was habe ich verkauft?
2. Was ist mir *nicht gelungen?*
3. Welche *Reklamationen* waren da?
4. Welche *Anregungen* und Tips gab mir der Kunde?
5. Was habe ich *versprochen?*
6. Welche Chancen haben sich ergeben?
7. Mit welchen *Hindernissen* muß ich beim kommenden Besuch rechnen?

C. Besuchsziele:

1. *Welche Personen* muß ich sprechen?
2. *Wie lange* soll das Gespräch dauern?
3. *Welche Erzeugnisse* will ich verkaufen?
4. Wie hoch ist der von mir *angestrebte Gesamtumsatz?*
5. Welche *Informationen* will ich mir vom Kunden beschaffen?
6. Welche *Ideen und Informationen* will ich dem Kunden liefern?
7. Welche *Dienstleistungen* zur Verkaufsförderung will ich geben?

D. Maßnahmen:

1. Welche *Themen* will ich behandeln? – Reihenfolge
2. Wie will ich das *Gespräch eröffnen?*
3. Welche *Argumente,* Beispiele, Vergleiche, Beweise will ich bringen?
4. Was will ich dem Kunden *zeigen?*
5. *Welche Fragen will ich stellen?*
6. Welche *Fragen und Einwände* des Kunden will ich *vorwegnehmen* und wie?
7. Wie will ich mich von der Konkurrenz abheben?
8. Welchen Vorschlag im *Detail* will ich dem Kunden unterbreiten?

5. Die Einstellung auf den Verhandlungspartner

Welche Fragen man sich stellen sollte, um sich wirklich auf den Verhandlungspartner einzustellen, wird hier am Beispiel Verkäufer/Kunde dargestellt.
Der Verkäufer wird überzeugend argumentieren können, wenn er die Möglichkeiten, die Ziele, die Probleme, die Befürchtungen und das vorhandene Wissen seines Gesprächspartners kennt.

A. Die Einstellung auf seine Möglichkeiten

1. Sein Markt?
2. Sein Standort?
3. Sein Verkaufsprogramm?
4. Sein Ruf?
5. Sein Leistungsvermögen?
6. Seine Chancen?
7. Seine finanziellen Möglichkeiten?
8. Seine Kunden?
9. Seine Konkurrenten?

B. Die Einstellung auf seine Ziele

1. Was möchte er möglichst erreichen?
2. Was will er unbedingt erreichen?
3. Was will er anders haben als jetzt?
4. Welches wäre der aus seiner Sicht für ihn ideale Zustand?

C. Die Einstellung auf seine Probleme

1. Was stellt der Kunde als Problem dar?
2. Welchen Nutzen hat er, wenn dieses Problem gelöst wird?
3. Welchen Schaden hat er, wenn keine Lösung zustandekommt?
4. Ist das von ihm genannte Problem wirklich sein Problem - oder existiert ein ganz anderes Problem?
5. Ist das von ihm genannte Problem das ganze Problem - oder nur ein Teilproblem, so daß man als Verkäufer das ganze Problem für ihn darstellen müßte?

6. Welche Ursachen sind für das Problem verantwortlich? - Welche Einflußstärke hat die einzelne Ursache?
7. Welches grundsätzliche Problem ist für dieses Einzelproblem verantwortlich?
8. Wie ließe sich das grundsätzliche Problem lösen, um automatisch das Einzelproblem aus der Welt zu schaffen?
9. Welche anderen Probleme hat der Kunde?
10. Welche Probleme kommen in der Zukunft auf ihn zu?
11. Was sind seine Hauptsorgen?

D. Die Einstellung auf seine Befürchtungen

1. Was möchte der Kunde bei einer Lösung auf keinen Fall erleben?
2. Was fürchtet er im Zusammenhang mit den verschiedenen möglichen Lösungen?
3. Was möchte er nie mehr?
4. Was gefällt ihm bei den einzelnen möglichen Lösungen am wenigsten?
5. Welche Reklamationen hatte er in der Vergangenheit?
6. Welche negativen Erfahrungen hat er gemacht?

E. Die Einstellung auf seine Kenntnisse

1. Wo kommt er fachlich her - Was hat er für eine Ausbildung?
2. Welche Assoziationen können bei ihm bei welchen Vorschlägen, Beispielen und Vergleichen aufgrund seiner Kenntnisse und Erfahrungen entstehen?
3. Welche Informationen muß der Verkäufer ihm unbedingt geben?

6. Die Schaffung einer günstigen Verhandlungsatmosphäre

1. Wenn Sie einen Gesprächspartner überzeugen wollen, müssen Sie dafür sorgen, daß er sich wohlfühlt.
2. Er darf nicht irritiert werden.
3. Die Umgebung muß ihm außerordentlich angenehm sein.
4. Er muß bequem sitzen.
5. Er darf nicht abgelenkt werden.
6. Sie müssen ihn so oft wie möglich mit seinem Namen ansprechen.
7. Er ist außergewöhnlich höflich und charmant zu behandeln.
8. Jede Aussage ihm gegenüber soll ihm zeigen, daß man ihn genauso sieht, wie er von anderen gesehen werden möchte.
9. Bewirtung mit Speisen und Getränken, die er besonders schätzt.
10. Überraschungen
11. Kleine Geschenke
12. Alles was er vor Beginn der Verhandlung und nach Ende der Verhandlung kennen lernt, muß ihn positiv beeindrucken.
13. Alle anderen Mitarbeiter, die er am Verhandlungsort kennen lernt, müssen sich ihm gegenüber aufmerksam und liebenswürdig benehmen.

7. Professionelles Zuhören

1. Zuhören muß man lernen, wie Lesen, Schreiben und Rechnen!
2. Beschließen Sie einer der besten Zuhörer überhaupt zu werden.
3. Reden Sie höchstens halb so viel wie Ihr Gesprächspartner.
4. Wer über sich selber redet, langweilt den anderen. Wer den anderen über sich reden läßt, begeistert ihn!
5. Ein schlechter Verhandlungspartner redet viel zu viel selber.
6. Leute, die sich selber gerne reden hören, sind eine Geissel der Menschheit.
7. Sie können jemandem kaum ein größeres Kompliment machen, als ihm intensiv und aufmerksam zuzuhören.
8. Wem Sie geduldig zuhören, der fühlt sich verpflichtet, auch Ihre Worte ernst zu nehmen.
9. Wem Sie aufmerksam zuhören, dem zeigen Sie, daß Sie ihn ernst nehmen und schätzen.
10. Sie lernen seinen Standpunkt besser kennen. Wenn Sie seine Botschaft empfangen haben, können Sie besser senden. Wenn Sie seine Aussagen haben, dann haben Sie sicheren Boden für Ihre Argumentation.
11. Kein Rhetorik-Meister kann so beeindrucken, wie ein Zuhör-Meister.
12. Wer zuhört, lernt. Wer selber redet bleibt auf dem bisherigen Stand.
13. Zuhören ist eine aktive Tätigkeit. Hören ist nicht Zuhören. Zuhören erfordert Willenskraft, Energie, Disziplin und Konzentration.
14. Denken Sie an nichts anderes. Konzentrieren Sie sich auf Ihren Gesprächspartner. Hören Sie ihm nicht nur zu. Hören Sie in ihn hinein.
15. Tun Sie nichts anderes, während er spricht. Fangen Sie nicht an in Ihren Unterlagen herumzusuchen, wenn Ihr Partner zu sprechen beginnt.
16. Sitzen Sie konzentriert da und nicht zu lässig.
17. Lassen Sie Ihre Gedanken nicht wandern. Kontrollieren Sie Ihre Gefühle.
18. Entscheiden Sie nicht gleich zu Beginn, daß alles, was Ihr Gesprächspartner bringt, uninteressant oder falsch ist.
    Geben Sie ihm einen Wohlwollens-Vorschuß. Er merkt das, wird gelöster, präziser und überzeugender.
19. Hören Sie auf liebenswürdige Weise zu. Hören Sie nicht zu in der Form eines Mahnmals des stillen Protestes.
    Wem Sie liebenswürdig und höflich zuhören, der äußert sich weniger massiv. Er braucht es auch nicht. Er wird auch so mit seinen Aussagen erkennbar ernst genommen.
20. Erarbeiten Sie nicht Ihre eigenen Argumente, während der andere spricht. Hören Sie aufmerksam und unverkrampft zu. Ihre Argumente ergeben sich dann von selbst. Es werden automatisch bessere Argumente.

21. Unterbrechen Sie den anderen nicht, wenn er einmal eine kurze Pause macht. Nehmen Sie sein Innehalten nicht als Aufforderung, selber loszulegen. Sehen Sie ihn an. Schweigen Sie. Bewirken Sie damit, daß er weiterspricht. Was er dann bringt, das ist das wirklich Wichtige und Bedeutsame. Zuhören ist die Fähigkeit, Stille, Schweigen, Pausen zu ertragen. Zuhören ist Furchtlosigkeit vor der Stille.

22. Zeigen Sie nicht durch Ihre Mimik oder gar Gestik Langeweile oder geistige Verabschiedung.

23. Seien Sie tolerant. Hören Sie mit Mitgefühl zu. Machen Sie kein Pokerface.

24. Stellen Sie freundliche und höfliche Zwischenfragen, um den anderen zu ermuntern und präzise Aussagen zu erlangen -
    a) an was denken Sie speziell?
    b) könnten Sie vielleicht ein Beispiel nennen?

25. Ermitteln Sie durch Selbstbeobachtung an einigen Tagen nacheinander Ihren Kommunikations-Quotienten = Reden : Zuhören!
    50 : 50 = Sie sind auf dem Weg nach oben
    20 : 80 = Sie sind oben
    80 : 20 = Sie sind auf dem Weg nach unten

8. Wichtige Erfolgsregeln der Verhandlungstechnik und Überzeugungstechnik

1. Führen Sie keine Verhandlung wie ein Routinegespräch. Jede Verhandlung ist ein besonderes Ereignis. Es ist nicht nur die 4. Verhandlung von einigen weiteren. Die wichtigste Verhandlung ist die, die gerade geführt wird.
2. Legen Sie für sich eine Checkliste mit den Regeln an, die Sie in jeder Verhandlung berücksichtigen wollen. Schaffen Sie für sich positive Zwangsläufigkeiten.
3. Beurteilen Sie jede geführte Verhandlung schriftlich. In Stichworten! Ein solches Ergebnis der Praxisforschung gibt Ihnen sehr schnell die Regeln, die Sie brauchen.
4. Seien Sie für Ihren Verhandlungspartner ein Gesprächspartner, auf den er sich verlassen kann.
   Geben Sie ihm die Sicherheit, daß Sie zuverlässig sind.
   Seien Sie außergewöhnlich sorgfältig bei gewöhnlichen Dingen. Liefern Sie ihm damit den Beweis, den er braucht, um Ihnen vertrauen zu können.
5. Halten Sie Verabredungen auf die Minute ein.
6. Stellen Sie einen guten Kontakt zu den Mitarbeitern Ihres Verhandlungspartners her.
7. Bereiten Sie Ihre Verhandlungseröffnung gründlich vor.
   Welche Fragen wird Ihnen Ihr Gesprächspartner zu Beginn des Gespräches stellen?
   „Na, was bringen Sie Neues?“
   Antwort: „Drei interessante Informationen und drei Ideen, die vielleicht für Sie gerade in dieser Situation nützlich sind...“
8. Versuchen Sie das Gespräch gegen Störeinflüsse abzuschirmen.
9. Bedanken Sie sich für den Termin und das Interesse.
10. Sprechen Sie ruhig, souverän und nachdrücklich. Erscheinen Sie nicht nervös, fahrig und gehetzt.
11. Sprechen Sie deutlich und laut genug.
12. Sprechen Sie freundlich, höflich, verbindlich und fest.
13. Seien Sie unterhaltsam. Schaffen Sie eine entspannte Atmosphäre. Ihrem Partner muß es Freude machen, mit Ihnen zu verhandeln. Es muß ein Erlebnis für ihn sein. Bringen Sie Humor in das Gespräch, aber unterlassen Sie platte Witze.
14. Liefern Sie keine Sprüche, wie sie auf ein bestimmtes Stichwort, jeder von sich gibt. Denken Sie an Pawlow!
15. Seien Sie nicht völlig voraussehbar hinsichtlich Ihrer nächsten Bemerkung.
16. Lächeln Sie mehr.
17. Verhandeln Sie nicht zu aufdringlich.
18. Verhandeln Sie nicht zu servil, zu beflissen, mit hektischem Eifer.
19. Überschlagen Sie sich nicht vor Willfährigkeit.
20. Lassen Sie sich von Ihrem Gesprächspartner nicht reizen.

21. Bringen Sie ihn zum Reden. Hören Sie aufmerksam und konzentriert zu. Ermutigen Sie jeden Gesprächsteilnehmer sich intensiv zu äußern. Unterbrechen Sie Ihre Gesprächspartner nicht.

22. Sprechen Sie nicht nur, sondern schreiben und zeichnen Sie auch. Setzen Sie visuelle Mittel ein.
Übergeben Sie Ihrem Partner etwas. Lassen Sie ihn mithandeln.

23. Sorgen Sie dafür, daß Sie eine vollständige Ausrüstung bei sich haben und daß Ihre Unterlagen gut geordnet und auf Anhieb greifbar sind.

24. Seien Sie konkret. Nicht abstrakt. Liefern Sie Einzelheiten, Fakten, Zahlen.

25. Seien Sie außerordentlich verständlich, schnell und bequem zu begreifen, ein großer Vereinfachungs-Experte!

26. Achten Sie auf die Begriffe, die Sie verwenden. Benutzen Sie die Fachsprache Ihres Partners eher als Ihre eigene.
Verärgern Sie Ihre Partner nicht mit Begriffen, die Sie verwenden.
Vielleicht lösen diese Begriffe bei Ihnen positive Vorstellungen aus. Bei Ihren Gesprächspartnern kann es das Gegenteil sein.
Verwenden Sie seine Begriffe und Formulierungen für die Deklarierung Ihrer Vorschläge. Verwenden Sie seinen Sprachschatz.

27. Liefern Sie auf die Fragen Ihrer Gesprächspartner brauchbare Antworten, mit denen diese sofort etwas anfangen können.

28. Antworten Sie auf das, was gefragt wurde. Begeben Sie sich nicht auf ein anderes Themengebiet.

29. Verhandeln Sie eindringlich und mit Nachdruck. Versuchen Sie Ihre Gesprächspartner jedoch nicht zu überfahren oder tot zu argumentieren.

30. Setzen Sie Pausen ein, um Ihre Worte einwirken zu lassen. Überfallen Sie den anderen nicht mit einem Wortschwall.

31. Übertreiben Sie nicht. Halten Sie sich an die Wahrheit.

32. Sprechen Sie nicht negativ über die eigene Organisation.

33. Sprechen Sie nicht negativ über sich selber. Machen Sie sich nicht schlecht. Machen Sie sich nicht lächerlich.
Weisen Sie nicht auf eigene Schwächen und Mängel hin. Ihr Partner wird sonst immer wieder darauf zurückkommen.

34. Springen Sie nicht von Thema zu Thema. Verhandeln Sie diszipliniert.
Führen Sie ein Thema zu Ende. Beginnen Sie erst dann mit dem nächsten.
Benutzen Sie also auch für Verhandlungen die größte Erfolgsregel der persönlichen Arbeitstechnik - eine Sache nach der anderen!

35. Nennen Sie die Fakten wie sie sind. Vermeiden Sie jedoch jede kleinliche Rechthaberei.
Was nützt es Ihnen, wenn Sie immer Recht behalten, aber kein Ergebnis zustande bringen.

36. Fürchten Sie sich nicht vor der Diskussion heikler Punkte. Sie gehören zu Verhandlungen.

37. Präsentieren Sie entgegengesetzte Auffassungen mit intensiver Höflichkeit, am besten in Form von Fragen.

38. Ersparen Sie sich alle unnötigen Belehrungen und alle Verteidigungsbemerkungen, die für Ihren Erfolg irrelevant sind.

39. Arbeiten Sie mehr mit Fragen als mit Aussagesätzen. Setzen Sie Fragen ein, um gemeinsam mit Ihren Gesprächspartnern -
a) deren Voraussetzungen zu prüfen
b) Informationen zu erhalten
c) neue Beurteilungsfaktoren in das Gespräch zu bringen
d) das Ankommen der eigenen Aussagen zu prüfen
e) eine gegenteilige Meinung behutsam zu bringen.

40. Lassen Sie sich von Ihrem Gesprächspartner beraten und helfen.

41. Unterbrechen Sie niemanden, der sich positiv über Ihren Standpunkt oder Ihren Vorschlag äußert.
Unterbrechen Sie niemanden, der Sie verteidigt.
Schweigen Sie. Er holt die Kastanien für Sie besser aus dem Feuer als Sie es können.

42. Achten Sie mit größter Sorgfalt auf die Empfindlichkeit und das Geltungsbedürfnis Ihrer Gesprächspartner.

43. Sprechen Sie nicht von oben herab. Verhalten Sie sich nicht hochfahrend.
Wirken Sie nicht arrogant. Berichtigen Sie Ihre Gesprächspartner nicht auf unangenehme Art.

44. Kommentieren Sie bestimmte Aussagen und Anregungen Ihrer Partner positiv.
Nennen Sie Beweise dafür, daß die Anregungen Ihrer Partner beeindruckend sind.

45. Vernachlässigen Sie niemanden, der an dem Gespräch teilnimmt.
Konzentrieren Sie sich nicht nur auf die besonders wichtigen Persönlichkeiten.
Ein VIP-Programm reicht bestimmt nicht aus.
Sie brauchen auch ein NIP-Programm.
Seien Sie besonders vorsichtig und bemüht bei denen, die Sie geneigt sind, als NIP's (not important persons) einzustufen.

46. Sehen Sie nicht nur die eine wichtige Person an. Geben Sie nicht nur Unterlagen an diese Person. Bereiten Sie sich so vor, daß Sie jedem, der an der Verhandlung teilnimmt, das gleiche Material übergeben können.

47. Verschaffen Sie sich den Namen von jedem. Vergessen Sie keinen einzigen Namen.
Verbessern Sie Ihr Namensgedächtnis:
a) Sich den Namen wirklich merken wollen.
b) Nach dem Namen noch einmal fragen, wenn Sie ihn nicht genau verstanden haben.
c) Sofort häufig verwenden.
d) aufschreiben
e) Mit einer Vorstellung verknüpfen, die es Ihnen erleichtert, sich an den Namen zu erinnern.

48. Machen Sie Zugeständnisse, die für Ihren Gesprächspartner prestigemäßig wichtig sind, das gewünschte Ergebnis inhaltlich jedoch nicht verändern.

49. Versuchen Sie, Ihre Verhandlungspartner durch ein Zugeständnis zu Beginn zu von Ihnen gewünschten Gegenleistungen zu veranlassen.

50. Beginnen Sie Ihr Gespräch mit einer Analyse und nicht mit fertigen Vorschlägen. Stellen Sie Fragen, um die Situation und die Möglichkeiten besser zu überblicken.
    a) Was möchten Sie gerne erreichen?
    b) Was ist das Wichtigste für Sie?
    c) Worauf kommt es Ihnen an?
    d) Was möchten Sie vermeiden?
    e) Was befürchten Sie am meisten?

51. Betrachten Sie das von Ihrem Gesprächspartner gebrachte Problem nicht unbedingt als Gesprächsbasis.
    Prüfen Sie vielmehr schöpferisch, ob nicht ein ganz anderes Problem existiert oder ob das genannte Problem nur ein Teilproblem ist.

52. Nennen Sie die Ziele, die Ihr Partner offenbar erreichen möchte.

53. Nennen Sie für ihn zusammengefaßt die Probleme, die er gerne gelöst haben möchte.

54. Zeigen Sie die Chancen auf, die er nutzen könnte.

55. Verweisen Sie auf die gemeinsamen Interessen im einzelnen.

56. Passen Sie sich der Reihenfolge an, in der er überlegt und entscheidet. Gehen Sie parallel vor zu seinem gedanklichen Weg. Passen Sie sich also seinem Entscheidungsprozeß an.
    a) Welche Fragen stellt er sich?
    b) In welcher Reihenfolge?
    c) Wie bedeutsam sind die einzelnen Fragen für ihn?
    d) Welches sind die für ihn wirklich relevanten Faktoren?
    e) Mit welchen Bewertungskriterien analysiert er selber einen Vorschlag?
    f) Was findet er gut?
    g) Was findet er schlecht?

57. Wenn Sie Verkaufsgespräche zu führen haben, müssen Sie die Entscheidungssysteme kennen, die auf der Einkaufsseite eingesetzt werden.
    a) Wertanalyse
    b) Vergleichende Lieferantenbewertung.

58. Bringen Sie eine Ordnung und eine sinnvolle Reihenfolge in Ihre Argumentation:
    a) Problem oder Chance darstellen
    b) Ursachen nennen oder Existenz begründen
    c) Ihre Lösung zeigen
    d) Den Nutzen Ihrer Lösung zeigen, ausrechnen, beweisen.

59. Sprechen Sie mit gezielten Argumenten die Motive an, von denen sich Ihr Partner leiten läßt.
   a) Sein Streben nach Sicherheit - zeigen Sie ihm das Sicherheitsprogramm, das Sie im einzelnen liefern.
   b) Sein Streben nach Anerkennung - sagen Sie ihm, wie Sie sich um ihn bemühen werden.
   c) Sein Streben nach Bequemlichkeit - zeigen Sie ihm Ihr Bequemlichkeitsprogramm im einzelnen.
   d) Sein Streben nach wirtschaftlichem Nutzen - rechnen Sie ihm aus, was er gewinnen kann, welche Kosten er senken oder vermeiden kann, wie sich seine Effizienz erhöhen läßt.

60. Manche Ihrer Argumente können für Ihren Gesprächspartner völlig uninteressant sein. Andere sind von höchster Wichtigkeit. Argumentieren Sie nicht in die falsche Richtung.
   Drücken Sie auf den Klingelknopf, der mit einer Leitung zu ihm verbunden ist.
   Welche von den Leistungen, die Sie nennen, sind für ihn:
   a) unwichtig?
   b) ganz interessant?
   c) wichtig?
   d) von höchster Bedeutung?

61. Werden Sie ein Überzeugungsspezialist. Prüfen Sie immer wieder, wie Sie etwas besser formulieren können:
   a) Wie können Sie es spezieller sagen?
   b) einfacher?
   c) In der Sprache Ihres Partners?
   d) Positiv formuliert?
   e) Mit einem Vergleich?
   f) Mit einem Beispiel?
   g) Mit Erfahrungen Ihres Partners?
   h) Mit Urteilen und Erfahrungen anderer Persönlichkeiten, die er besonders schätzt?

62. Präsentieren Sie eine Liste der Vorteile, die Ihr Partner gewinnt, wenn er Ihrem Vorschlag zustimmt.

63. Liefern Sie Beweise für die Vorteile.

64. Zeigen Sie ihm die Nachteile und Gefahren auf, die für ihn existieren oder entstehen können, wenn er Ihrem Vorschlag nicht zustimmt.
   Erinnern Sie ihn an frühere Schwierigkeiten.
   Nennen Sie die Kosten einer falschen Entscheidung.

65. Stellen Sie in Zwischenzusammenfassungen heraus, bei wievielen Punkten inzwischen Übereinstimmung herrscht und wie wenige Fragen nur noch offen sind.

66. Helfen Sie Ihrem Partner dabei, Ihre Vorschläge an andere Personen, die für ihn wichtig sind, weiterzuverkaufen.
Liefern Sie Ihrem Partner hierfür die Argumente und die Hilfsmittel:
a) Argumente für die neue Lösung
b) Argumente die begründen, weshalb eine frühere Entscheidung damals nicht falsch gewesen sein muß.
c) Überzeugungshilfen und Präsentationshilfen.
d) Gute Begriffe und Formulierungen.
f) Beispiele aus der Praxis.
g) Checklisten mit Stichworten.

67. Wählen Sie nicht den Weg des geringsten Widerstandes. Versprechen Sie nichts Unmögliches.
Seien Sie vorsichtig mit Zusagen, die Sie später nur schwer oder überhaupt nicht einhalten können.

68. Nennen Sie Ihre eigenen Bedingungen fest und klar begreifbar.

69. Lernen Sie es, unerfüllbare Forderungen abzulehnen, ohne zu verletzen, ohne hochmütig zu erscheinen, ohne zu kränken.
Stellen Sie sich mit Ihrer Ablehnung nicht direkt Ihrem Partner gegenüber. Verweisen Sie vielmehr auf eine dritte Partei. Nennen Sie Ihre Verpflichtungen dieser Partei gegenüber. Begründen Sie so, weshalb Sie den Forderungen des Verhandlungspartners nicht nachkommen können. (Dies ist eine Vorgehensweise.)

70. Glauben Sie nicht jeden Ablehnungsgrund, der Ihnen genannt wird. Manche Gründe hören sich nur gut an, sie lassen sich leicht äußern und klingen plausibel.
Der wirkliche Grund kann ein ganz anderer sein. Fragen Sie also: „Gibt es außerdem noch einen anderen Grund ...?"

71. Ihr Partner unterbreitet einen Vorschlag. Sie finden diesen in mancher Hinsicht schlecht.
Nennen Sie nicht sofort die negativen Punkte. Nennen Sie erst die positiven Seiten. Sagen Sie dann: „Vielleicht sollten wir jetzt einmal den positiven Faktoren und Vorteilen auch die negativen Faktoren und Nachteile gegenüberstellen...."

72. Verhalten Sie sich erkennbar tolerant. Denken Sie nach. Wägen Sie ab. Bestätigen Sie das Positive. Antworten Sie niemals sofort mit einer negativen Beurteilung.

73. Betrachten Sie das Nein eines Gesprächspartners nicht als endgültige Stellungnahme. Häufig ist „Nein" nur eine Substitution für das Wort „Warum?"

74. Erkennen Sie, was die wirklichen Gründe für sein Zögern sind.

75. Bereiten Sie sich auf die Schwierigkeiten, die er im Zusammenhang mit Ihrem Vorschlag sieht, gründlich vor.

76. Einwände sind selbstverständlich. Sie sind Fragen. Sie sind Forderungen.
Ohne Einwände und Widerstände brauchte es überhaupt keine Verhandlungen zu geben.

77. Einwände sind Mittel Ihres Partners, um Verhandlungserfolge zu erzielen.

78. Einwände müssen durch Fragen analysiert werden.

79. Ihre Entstehung kann durch eine gute Vorbereitung und geschickte Verhandlungsführung verhindert werden. Agieren ist besser als reagieren.

80. Nehmen Sie Einwände gelöst entgegen.

81. Hören Sie sorgfältig zu, ohne den anderen zu unterbrechen.

82. Wiederholen Sie den Einwand.

83. Stellen Sie eine Gegenfrage, um genau herauszufinden, was Ihr Partner im einzelnen gemeint hat.

84. Stimmen Sie ihm zu, daß es richtig ist, auf diesen Punkt zu kommen.

85. Gehen Sie nicht in die direkte Konfrontation durch die „Ja-aber-Methode". Letztendlich ist sie eine Kampfansage. Sie ist das direkte Parieren eines Schlages.

86. Die Judomethode der Argumentation hingegen ist die „Ja-und-Methode"! Sie lenkt die negative Kraft des Einwandes in die Richtung, die für Ihre Argumentation wichtig ist.

87. Ja, und ....
    a) das ist für Sie ein wichtiger Punkt
    b) das sollte wirklich gelöst werden
    c) das ist notwendig
    d) das ist der Nutzen, den Sie anstreben
    e) diese Schwierigkeit wollen Sie vermeiden
    f) dieses Problem wollen Sie gelöst haben
    g) diese Voraussetzung sollte geschaffen werden.

88. Fragen Sie Ihren Gesprächspartner direkt, ob er mit Ihrem Vorschlag einverstanden ist und ob man sich jetzt darauf einigen könne.

89. Haben Sie keine Furcht große Erfolge zu erringen. Geben Sie sich nicht mit Kleinkram zufrieden.

90. Seien Sie nicht zufrieden mit einem Teilerfolg. Reden Sie Ihrem Gesprächspartner nicht noch ein, daß er Ihren anderen Vorschlägen am besten nicht zustimmen solle. Beispiel: Ein Verkäufer verkauft eine Büromaschine, bedankt sich und sagt dem Kunden: „Ich glaube, einen Kundendienstvertrag sollten Sie noch nicht abschließen ..."

91. Wenn Sie in einer Verhandlung Angebote unterbreiten, deren Bedingungen jeweils abhängig sind von einer bestimmten Gegenleistung, dann schreiben Sie Ihre Angebote auf.
    Präsentieren Sie Ihre Bedingungen nicht nur mündlich!
    Es muß für jeden Verhandlungspartner sofort abzulesen sein, welche Gegenleistung die Leistung A verlangt und welche Gegenleistung die Leistung B.

92. Verlassen Sie sich bei Verhandlungen nicht auf Ihr Gedächtnis, machen Sie sich Notizen.

93. Einigen Sie sich über die Ergebnisse und legen Sie diese sofort schriftlich fest.

94. Notieren Sie sich jede Zusage die Sie machen und jedes Versprechen, das Sie abgeben.

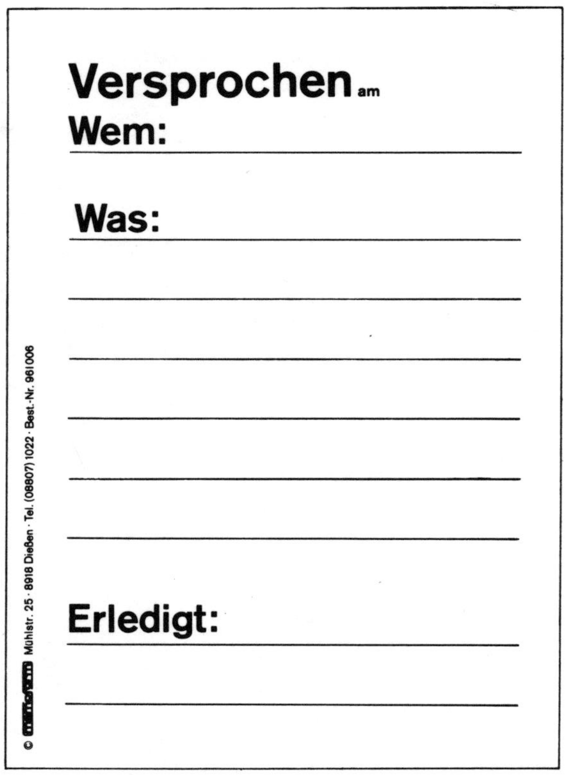

Versprochen am

Wem:

Was:

Erledigt:

95. Behandeln Sie heikle Punkte am Schluß, wenn auf allen anderen Gebieten bereits Übereinstimmung erzielt worden ist und keiner die Verhandlung mehr scheitern lassen möchte.
96. Fragen Sie den anderen direkt -
    a) welche Punkte sind noch offen?
    b) was stört Sie noch?
    c) was befürchten Sie noch?
    d) sind Sie unter folgenden Voraussetzungen einverstanden?
97. Bitten Sie direkt um die Zustimmung.
98. Nennen Sie die für ihn relevanten Vorteile noch einmal.
99. Nennen Sie den einen entscheidenden Vorteil.
100. Wiederholen Sie die positiven Bemerkungen, die er selbst gemacht hat.
101. Nennen Sie ihm die Vorteile, die er von der Sache und vom Zeitfaktor her hat, wenn er jetzt zustimmt.
102. Setzen Sie gezielt Ihre Reserven ein. Bieten Sie ein Zugeständnis an, das ihn außerordentlich positiv stimmt und zur Entscheidung bringt.

103. Vielleicht sind Sie einmal in einer besonders starken Verhandlungsposition. Nutzen Sie die schwächere Position Ihres Gesprächspartners nicht aus. Seien Sie großzügig. Sie sichern sich damit auch Ihre Zukunft.
Dies ist eine Hauptregel zum Thema „Die Kunst des Friedensschlusses."

Bemühen Sie sich ideenreich um Ihre Gesprächspartner. Leisten Sie für Ihre Gesprächspartner etwas, was mit dem Verhandlungsgegenstand eigentlich nichts zu tun hat. Entwickeln Sie Ihre Kunden zu Geschäftsfreunden.
Konzentrieren Sie sich nicht nur auf Ihre Normalleistungen. Eine besonders hohe Vertrauensstufe erreichen Sie durch Leistungen, die thematisch gar nicht zur Sache gehören.

1. Welche Gefälligkeiten oder Dienste, die mit dem Verhandlungsgegenstand nichts zu tun haben, können Sie Ihrem Gesprächspartner erweisen.
2. Was können Sie ihm bieten für sein persönliches Vorankommen, seine Sicherheit und sein Prestige.
3. Wie können Sie ihm dabei helfen, seine Position abzusichern?
4. Welche Ideen können Sie ihm liefern?
5. Was können Sie ihm zur Verfügung stellen, das ihm dabei hilft, andere zu beeindrucken?
6. Wie können Sie ihn auszeichnen?
7. Was können Sie für ihn speziell besonderes tun?
8. Was können Sie tun, damit er sich in Ihrer Gegenwart besonders wohlfühlt?
9. Was können Sie für seine Angehörigen tun?
10. Was für seine Mitarbeiter?
11. Mit welchen Informationen können Sie ihm besonders stark helfen?
12. Wie können Sie ihm Zeit sparen helfen?
13. Was können Sie für seine Gesundheit tun?
14. Was können Sie für ihn beschaffen?
15. Zu wem können Sie für ihn Kontakt herstellen – mit wem können Sie ihn zusammenbringen?
16. Welche Wege können Sie ihm ebnen?
17. Welche Gewinne können Sie ihm erschließen helfen?
18. Welchen Titel können Sie ihm verschaffen?
19. Welcher Preis kann ihm durch wen verliehen werden?
20. Welche Bevorzugungen können Sie für ihn erreichen?
21. Welche Werkzeuge und Hilfsmittel können Sie ihm liefern?
22. Wie können Sie Ihre anderen Verbindungen auf ihn und für ihn wirken lassen?
23. Was können Sie bereits für ihn vor dem Gespräch tun?

24. Was muß sofort nach dem Gespräch geschehen?
25. Ihr Nachfaßprogramm – wie sieht der Stufenplan dafür aus?
26. Wie können Sie ihm auch zukünftig Ihr spezielles Interesse und Wohlwollen beweisen?
27. Was wollen Sie zukünftig tun, um die Bindung zu erhalten und auszubauen?

9. Die Vorbereitung und Führung von Preisverhandlungen

Diese Checkliste hilft Ihnen dabei Ihre Preise besser zu begründen und zu halten!

1. Welche anderen Lieferanten bieten ihre Erzeugnisse wesentlich billiger an als Sie?
2. Sind diese Firmen erfolgreicher als Ihr Unternehmen?
3. Wie ist die Reputation dieser Lieferanten?
4. Werden sie langfristig weiterhin so billig bleiben können?
5. Welche Lieferanten, die vorwiegend über den Preis versuchten, Erfolge zu erzielen, sind mit den betreffenden Erzeugnissen inzwischen vom Markt verschwunden?
6. Um wieviel Prozent bieten die billigsten Anbieter günstiger an als Sie?
7. Bei welchen Erzeugnissen sind sie keineswegs billiger ?
8. Was bieten diese Wettbewerber bei ihren Erzeugnissen weniger an Leistungen als Ihre Erzeugnisse?
9. Können Ihre Kunden langfristig auf den Kauf Ihrer Erzeugnisse verzichten?
10. Welche Ihrer Kunden sind aus Preisgründen abgesprungen und wieder zu Ihnen zurückgekehrt? Warum kaufen sie jetzt wieder bei Ihnen?
11. Für welche Firma, die zu geringeren Preisen anbietet, möchten Sie selber wirklich arbeiten?
12. Wie ist die Preiselastizität der Nachfrage für Ihre Erzeugnisse?
13. Bei wievielen von Ihren Verkaufsgesprächen behaupten Kunden, daß Sie zu teuer sind?
14. Welche finanziellen Mittel würden Ihnen zur Verfügung stehen, wenn Sie sich ein Prozen vom Umsatz an Preiszugeständnissen ersparen könnten?
15. Schaffen Sie in Ihrer Firma ein Team, das Argumente und Instrumente erarbeitet für die Rechtfertigung Ihrer Preise und die Einschränkung von Preiszugeständnissen.
16. Prüfen Sie die Behauptung, daß Sie zu teuer sind!
    Bei welchen Erzeugnissen sind Sie keineswegs teurer als andere Anbieter?
17. Machen Sie jedem Mitarbeiter klar, daß es die Pflicht eines Kunden ist, zu sagen: „Sie sind zu teuer!“
    Nur dadurch kann er erfahren, was ihm geboten wird und ob Ihr Preis wirklich gerechtfertigt ist.
18. Ein Kunde wird um so mehr mit dem Preiseinwand kommen, je stärker er unter Konkurrenzdruck steht. Alle Erleichterungen und Hilfen die Sie ihm geben, im Konkurrenzkampf zu bestehen, erspart Ihnen die Preisdiskussion.
19. Irgend ein Anbieter wird immer wesentlich billiger sein als Sie.
20. Sammeln Sie die Argumente, mit denen Sie den Preiseinwand bereits wirkungsvoll entschärft haben.
21. Nehmen Sie Ihren Mitarbeitern die Vorstellung, daß alle Konkurrenten vor Freude singen, wenn sie wieder einmal Preiszugeständnisse machen dürfen. Auch die Wettbewerber sind keine Preis-Masochisten.

22. Demonstrieren Sie, was an Ihrer Marktleistung unvergleichlich und unvergleichbar ist -
    a) zeigen Sie, was bei Ihnen völlig anders ist
    b) zeigen Sie, was an Negativem fehlt
    c) zeigen Sie, was exklusiv positiv ist
    d) zeigen Sie die Welten im Unterschied
    e) stellen Sie das Einzigartige dramatisch heraus, zeigen Sie, daß Sie beim Gewöhnlichen außergewöhnlich gut sind.
23. Demonstrieren Sie, welche Erfolge andere Kunden mit Ihren Erzeugnissen erzielen.
24. Demonstrieren Sie, welche positiven Hauptleistungen und welche positiven Nebenleistungen ein Kunde dadurch hat, daß er bei Ihnen kauft.
25. Welche Vorteile bietet Ihre seriöse Preispolitik dem Kunden?
26. Wie helfen Sie dem Kunden bei der Kostensenkung?
27. Wie helfen Sie ihm dabei, Ärger bei sich, seinen Mitarbeitern und seinen Kunden gar nicht erst entstehen zu lassen?
28. Welche Marktanteile haben Sie? Auf welchen Umsatz verzichtet ein Kunde also, bei dem Sie einen zu geringen Kundenanteil haben?
29. Worin unterscheidet sich Ihre Verkaufs-Organisation von der der anderen Anbieter - was können Sie also mehr bieten?
30. Worin unterscheidet sich Ihr Kundendienst von dem anderer Anbieter?
    a) Wieviele Kundendienst-Mitarbeiter haben Sie?
    b) Verfügen Sie über einen werkseigenen Kundendienst?
    c) Wie ist Ihr Kundendienst geschult?
    d) Wie schnell ist er?
    e) Wie gut ist die Ersatzteilversorgung?
    f) Wie preiswert ist Ihr Kundendienst?
31. Was entgeht dem Kunden, wenn er nicht bei Ihnen kauft? Geben Sie ihm darüber eine Liste.
32. Welche negativen Nebenwirkungen können sich für den Kunden ergeben, wenn er nicht bei Ihnen kauft? Stellen Sie es im Detail für ihn dar.
33. Liefern Sie dem Kunden die Fragen, die er sich bei der Kaufentscheidung stellen sollte.
34. Liefern Sie ihm ein Beurteilungssystem mit Faktoren für die Beurteilung von Erzeugnissen, Dienstleistungen und Lieferanten.
35. Jeder Verkäufer sollte ein Ringbuch haben, um Kundenfragen zu speichern und dahinter schriftliches und bildliches Antwortmaterial unterzubringen.
36. Liefern Sie dem Kunden ein komplettes Wertanalyse-System in schriftlicher Form.

37. Um Preise zu rechtfertigen ist mehr erforderlich, als das gesprochene Wort!
   a) Speziell werden
   b) Etwas zeigen
   c) Schreiben
   d) Rechnen – immer Taschenrechner dabei
   e) Zeichnen – skizzieren
   f) Kein Preisgespräch, sondern eine Preisbegründungs-Präsentation
   g) Konkretes Zahlenmaterial, Fakten - keine allgemeinen Sprüche über Qualität und Service
38. Mit welchen Argumenten können Sie beweisen, daß Ihre Erzeugnisse keineswegs teuer sind?
39. Mit welchen verschiedenen Zielgruppen haben Sie es in einem Preisgespräch zu tun? Welches sind die besten Argumente für die Beeindruckung der einzelnen Zielgruppe?
   a) Konstruktion
   b) Produktion
   c) Einkauf
   d) Kundendienst
   e) Verkauf
   f) Werbung
40. Welche Dienstleistungen bekommt ein Kunde, wenn er Ihre Erzeugnisse kauft? Setzen Sie für diese Dienstleistungen genau so intensiv Beschreibungen, Prospekte, Kataloge und andere Werbe- und Verkaufsförderungsmittel ein, wie für die Nutzendarstellung für Ihre Erzeugnisse.
   Was bieten Sie also auf folgenden Gebieten:
   a) Beratung
   b) Schulung
   c) Kundendienst
   d) Verkaufsförderung
   e) Kooperation
   f) Werbung und Vorverkauf
   g) Arbeitshilfsmittel
41. Wie sieht Ihr Leistungspaket für den Kunden im einzelnen aus?
42. Wie stark helfen Sie dem Kunden bei seiner Angebotsgestaltung und bei der Erlangung von Aufträgen?
43. Welche betriebswirtschaftlichen Kennziffern können Sie ihm zeigen, um die Vorteile Ihrer Leistungen zu begründen?
44. Welche Ergebnisse aus einem Qualitätsvergleich zwischen den Erzeugnissen verschiedener Anbieter sollten Sie demonstrieren?
45. Setzen Sie einen Grafiker ein, der alle Ihre Vorteile bildlich darstellt.
46. Demonstrieren Sie Ihre Forschungs- und Entwicklungsaktivitäten.
47. Welche Pionierleistungen haben Sie erbracht?
48. Wie langlebig sind Ihre Erzeugnisse?
49. Welche Warentest-Faktoren sind günstig in bezug auf Ihr Erzeugnis?

50. Zeigen Sie Ihr Erzeugnis als Teil eines kompletten Systems.
51. Zeigen Sie, was der Kunde an Zeit bei Ihnen spart.
52. Was liefern Sie ihm an Bequemlichkeit im einzelnen?
53. Welche Raumersparnisse bringen Sie zustande?
54. Welche Arbeit wird ihm erspart?
55. Welche Sicherheit liefern Sie ihm?
56. Welche Fehlerquellen und Fehlermöglichkeiten werden für ihn ausgeschaltet?
57. Welche Wertschätzung erringt er, wenn er mit Ihrem Erzeugnis arbeitet oder es verkauft?
58. Welche Marketingunterstützung liefern Sie ihm?
59. Welche Promotionsideen und welche Kooperation bekommt er?
60. Welche Media-Werbung betreiben Sie – wie sehen Ihre Werbepläne aus?
61. Liefern Sie ihm Belegexemplare.
62. Liefern Sie ihm Muster.
63. Seien Sie der Experte und der zentrale Anlaufhafen für ihn.
64. Liefern Sie ihm ständig Erfahrungen und fortschrittliche Erkenntnisse.
65. Zeigen Sie ihm Ihre Zuverlässigkeit.
66. Liefern Sie ihm Prognosen für die Zukunft.
67. Zeigen Sie ihm neue Absatz-Chancen auf (Potential-Ausschöpfungs-Beratung)
68. Bieten Sie ihm die Dienstleistungen eines Ideen-Hauptquartiers (Franchising-Zentrale)
69. Sorgen Sie dafür, daß alle Abteilungen Ihres Hauses sich besser im normalen Tagesgeschehen um den Kunden bemühen.
70. Und sollte ein Kunde aus preislichen Gründen doch zu einem anderen Lieferanten übergehen – reagieren Sie nicht verärgert, nicht vorwurfsvoll, nicht verbissen. Führen Sie ein höfliches Abschiedsgespräch. Es gibt kaum etwas, was die Zurückgewinnung des Kunden mehr erleichtert.

10. Die Ausrüstung für Verhandlungen

Wer erfolgreich verhandeln will, muß als Überzeugungs-Experte tätig werden. Er muß die gleichen positiven Vorstellungen, die er hat, bei seinen Gesprächspartnern entstehen lassen. Die Bilder, die er vor seinem geistigen Auge sieht, müssen auch seine Gesprächspartner sehen.

Wer erfolgreich verhandeln will, darf nicht nur mit dem Mund kämpfen. Wortbilder sind gut. Echte Bilder sind besser. Vielfach entscheidet die Verhandlungsausrüstung über den Verhandlungserfolg.

A. Die Vorteile einer guten Verhandlungsausrüstung:

1. Sie können die Aufmerksamkeit und das Interesse Ihrer Gesprächspartner leichter wecken, erhalten und nach Ablenkungen zurückgewinnen.
2. Sie können das Gespräch leichter steuern. Sie behalten die Führung. Sie können agieren und brauchen weniger zu reagieren.
3. Wenn Sie nur sprechen, ermüden Sie den anderen. Er nimmt Ihnen das Wort, um dieser Belastung zu entgehen.
   Wenn Sie etwas zeigen, ist es für den anderen entspannend. Er passt sich Ihnen an.
4. Für Ihren Gesprächspartner ist es viel leichter, sich zu konzentrieren. Er läßt sich weniger leicht ablenken.
5. Die Ausrüstung hilft Ihnen dabei, Ihr Gespräch zu straffen. Unwichtiges und Bla-Bla wird eliminiert. Die wichtigsten Punkte kommen klar heraus. Sie sparen sehr viel Zeit.
6. Die Ausrüstung bringt eine logische Ordnung in Ihr Gespräch. Eine sinnvolle Reihenfolge bei der Behandlung einzelner Punkte läßt sich leichter einhalten.
   Die Ausrüstung bringt eine Struktur in das Gespräch hinein. Taktische Stufenpläne für die Gesprächsführung lassen sich leichter einhalten. Eine logische und psychologisch zweckmäßige Vorgehensweise wird weniger leicht torpediert.
7. Sie wirken glaubwürdiger, wenn Sie nicht nur über etwas sprechen, sondern auch Beweise zeigen können.
8. Sie sind leichter zu verstehen. Sie sind schneller zu verstehen. Sie werden richtig verstanden.
9. Sie können mehr Informationen und Argumente liefern, ohne den anderen zu überfordern.
   Sie können Zahlen erfolgreich einwirken lassen. Bei nur mündlich präsentierten Zahlen kann der Gesprächspartner nur sehr wenige erfassen.
10. Die Informationen und Argumente, die Sie mit Hilfe Ihrer Ausrüstung liefern, sind während des ganzen Gespräches präsent. Ihr Gesprächspartner sieht sie vor sich. Das nur gesprochene Wort verschwindet im Weltraum.

11. Ihre Ausrüstung gestattet es Ihnen, sämtliche Aussagen für Ihr Gespräch auf bequeme Art und Weise verfügbar zu haben.
Sie vergessen keinen wichtigen Punkt und Sie geben Ihren Gesprächspartnern einen kompletten Überblick.
Manche Verhandlungen sind ohne die Existenz von Checklisten überhaupt nicht zu führen.
12. Ihre Gespräche sind für Ihren Partner weniger ermüdend. Sie sind farbiger, interessanter und menschlicher.
13. Sie heben sich positiv von anderen Verhandlungspartnern ab, die nur eine Sprechbearbeitung vornehmen.
14. Ihre Aussagen bleiben stärker im Gedächtnis Ihres Gesprächspartners haften.
15. Er lernt schneller, was Sie ihm zu sagen haben.
16. Sie können bestimmte wichtige Punkte Ihrer Argumentation besonders dramatisch und verblüffend darstellen.
17. Mit einer Ausrüstung wirken Sie wesentlich professioneller.
18. Sie wirken gründlich vorbereitet, fleißig und bemüht.
19. Fragen, Widerstände, Einwände können Sie mit der geeigneten Ausrüstung viel leichter und eleganter beantworten.

B. Verhandlungs-Funktionen, für die eine Ausrüstung nötig ist

Besonders sinnvoll ist eine geeignete Ausrüstung für Verkaufsgespräche, also typische Überzeugungsgespräche. Ein Verkäufer hat viele Funktionen zu erfüllen.
Einige finden Sie nachstehend. Für alle lassen sich faszinierende Werkzeuge einsetzen:

1. Den richtigen Gesprächspartner ermitteln
2. Sich anmelden
3. Sich vorstellen
4. Die Zeit des Kunden gewinnen
5. Gespräche einleiten
6. Aufmerksamkeit wecken
7. Wohlwollen gewinnen
8. Interessieren
9. Probleme und Chancen aufzeigen – Grundsätzlichen Bedarf wecken
10. Die Kundensituation analysieren
11. Die Kundenprobleme ermitteln
12. Die Möglichkeiten des Kunden feststellen
13. Die Forderungen des Kunden ermitteln
14. Einwände feststellen
15. Einwände entschärfen
16. Fragen beantworten

17. Vorurteile nehmen
18. Anwendungsgebiete demonstrieren
19. Wirtschaftliche Nutzenstiftung darstellen.
20. Vorteile demonstrieren
21. Den Nutzen einer Zusammenarbeit darstellen
22. Benutzung demonstrieren
23. Den Kunden mithandeln lassen
24. Beraten
25. Dramatisieren
26. Begeistern
27. Verblüffen
28. Entkomplizieren
29. Informieren
30. Kaufwünsche wecken
31. Angebote unterbreiten
32. Versprechen einhalten
33. Den Kunden als Referenz gewinnen
34. Den Kunden binden
35. Zusätzliche Verkäufe erzielen

C. Ausrüstungsbeispiele für Verkaufsgespräche

1. Geschäftskarten
2. Auftragsblock
3. Block mit „Versprochen" – Zetteln
4. Notizblock
5. Zeichenblock – Millimeterpapier
6. Bleistift – Kugelschreiber – farbige Filzstifte – Gelbstifte
7. Stadtpläne – Landkarten
8. Tourenplan
9. Kalender
10. Telefonverzeichnis
11. Vorbereitungsnotizen für Verhandlungen
12. Kundenkartei-Karten
13. Besuchsberichtsformulare
14. Preislisten

15. Kataloge – Katalogblätter
16. Prospekte
17. Reklamationsbuch
18. Geschäftsbedingungen
19. Analysebogen – Fragebogen um zu ermitteln:
    a) Situation – Gegebenheiten – Bedingungen
    b) Forderungen – Wünsche
    c) Möglichkeiten
20. Kontroll-Listen für den Kunden
21. Marktforschunsergebnisse
22. Informationen über den Markt des Kunden
23. Testergebnisse – Forschungsergebnisse
24. Redaktionelles Material
25. Zeitungsausschnitte
26. Hauszeitschriften
27. Kundenzeitschriften
28. Fachzeitschriften der Branche
29. Fachzeitschriften der Kundenebene
30. Ausländische Zeitungen
31. Fachbücher
32. Informationsdienste
33. Beratungsdienst – Informationen
34. Literatur-Hinweise
35. Messekataloge
36. Bezugsquellen-Verzeichnisse
37. Werbemittel
38. Werbepläne
39. Werbegeschenke
40. Inseratabzüge
41. Anzeigensammlungen
42. Verkaufsförderungsmaterial
43. Verkaufsförderungs-Programme
44. Ideenmappe
45. Informationsmappe
46. Displaymaterial
47. Beweismittel für die eigenen Aussagen
48. Referenzschreiben
49. Referenzfotos

50. Referenztonbänder – Tonbandinterviews
51. Beweismittel, wie andere Kunden gleiche Probleme gelöst haben
52. Ausstellungswagen
53. Muster der eigenen Erzeugnisse
54. Warenmuster für Kundenmitarbeiter
55. Muster von Teilen der eigenen Erzeugnisse
56. Modelle
57. Abbildungen
58. Präsentationsmodelle
59. Schnittmodelle
60. Bedienungsanleitungen
61. Gebrauchsanweisungen
62. Checklisten zur Vermeidung von Fehlern
63. Zusammenstellungen von Anwendungsmöglichkeiten und Anwendungsgebieten
64. Arbeitshilfsmittel für die Mitarbeiter des Kunden
65. Technische Informationen mit Systemvorschlägen
66. Ersatzteile
67. Werkzeug
68. Kleinprüfgeräte
69. Kundendienstverzeichnis
70. Kalkulationsbeispiele
71. Wirtschaftlichkeitsberechnungen
72. Kalkulationsblock
73. Vorbereitete Einkaufsvorschläge
74. Slide Charts: Informationsscheiben – Rechenscheiben – Rechenschieber
75. Tonbandgerät - Cassettenrecorder
76. Tonbildschau
77. Sofortbild-Kamera
78. Filmprojektor
79. Dia-Projektor
80. Tageslichtprojektor
81. Viewmaster
82. Zeigebuch
83. Argumentationshilfen
84. Argumentationskarten
85. Argumentationslisten mit Beispielen und Vergleichen
86. Demonstrationskit

87. Musterkoffer
88. Flip-Flap-Tafeln
89. Verkaufsbeispiele (früher so - jetzt dieser Erfolg)
90. Parkmünzen
91. Spiegel
92. Zigaretten - Feuerzeug - Streichhölzer

11. Zeitgewinnung in Verhandlungen

1. Denken Sie während des Gespräches immer wieder daran, wieviel Zeit Sie sich für dieses Gespräch selbst vorgenommen haben.
2. Behalten Sie Ihre Gesprächsziele im Auge.
3. Genau Bescheid wissen über das vorangegangene Gespräch.
4. Beginnen Sie so schnell wie möglich mit interessanten Themen.
5. Benutzen Sie einen taktischen Stufenplan
   a) Stufenziel
   b) Methode
   c) Werkzeuge.
6. Überlegen Sie während des Gespräches, welches Stufenziel gerade erreicht werden soll.
7. Gehen Sie bei Ihrer Argumentation parallel zum Prozeß der Entscheidungsbildung des Partners vor. Vergewissern Sie sich, auf welcher Stufe der Entscheidungsbildung er sich gerade befindet.
8. Bringen Sie eine logische Ordnung in das Gespräch hinein.
9. Lassen Sie Füllmaterial und Blabla aus dem Gespräch heraus.
10. Behandeln Sie keine Themen, die ins Uferlose führen.
11. Verlieren Sie sich thematisch nicht auf Seitenwegen.
12. Stellen Sie nur zielbezogene Fragen.
13. Bringen Sie durch Ihre Ausrüstung und visuelle Mittel einen roten Faden in das Gespräch hinein.
14. Machen Sie häufig Zusammenfassungen, um graduell Übereinstimmung zu erzielen.
15. Benutzen Sie schriftlich vorbereitete Vorschläge.
16. Vermeiden Sie langatmige Gespräche über private Themen, Familie und Hobby.
17. Sprechen Sie über die Lage nicht allgemein und breit, sondern bringen Sie darüber spezielle Fakten, die Sie Ihrem Ziel näherbringen.
18. Sprechen Sie kurz und prägnant. Bringen Sie keine langen Sprüche.
19. Sorgen Sie dafür, daß Sie alle benötigten Unterlagen gut geordnet dabei haben.
20. Benutzen Sie Fragebogen und Kontroll-Listen besonders für die Analyse, um die Situation des Partners und seine Forderungen klar zu erfassen.
21. Hören Sie dem Partner aktiv zu und steuern Sie den Verlauf des Gespräches durch Fragen.
22. Beschränken Sie sich auf das Wesentliche.
23. Lassen Sie den Partner Ihren Vorschlag besser erfassen, indem Sie Worte durch Bilder oder Zeichnungen ersetzen.
24. Bringen Sie Ihre einzelnen Vorschläge in einer psychologisch richtigen Reihenfolge.

25. Seien Sie vorsichtig mit Zusagen; für deren Nichteinhaltung zahlen Sie später mit Zeitverlusten.
26. Organisieren Sie Ihre Verläßlichkeit. Arbeiten Sie mit „Versprochen"-Formularen.
27. Sorgen Sie dafür, daß alle Personen, die einen Einfluß auf den Entscheid haben, bei dem Gespräch dabei sind.
28. Nennen Sie schnell genug die Themen, über die man sprechen sollte und bestimmen Sie dadurch die Tagesordnung.
29. Benutzen Sie vorbereitetes Material zur Behandlung von Einwänden und Fragen.
30. Nehmen Sie Einwände vorweg. Agieren Sie, anstatt zu reagieren.
31. Entwickeln Sie ein Anti-Störprogramm. Sorgen Sie dafür, daß das Gespräch nicht laufend unterbrochen wird.
    a) Bitten Sie den Partner um ein ungestörtes Gespräch.
    b) Erreichen Sie gegebenenfalls Sondertermine.
    c) Laden Sie ihn zu sich ein.
    d) Vereinbaren Sie Gesprächstermine zu störarmen Zeiten.
    e) Gewinnen Sie die Aufmerksamkeit des Partners schnell zurück, indem Sie etwas zeigen, anstatt nur zu reden.
32. Entwickeln Sie Methoden zur Behandlung geschwätziger Partner.
33. Überprüfen Sie, in welcher Form Sie zeitsparendes Informationsmaterial dabei haben müssen.
34. Verhandeln Sie höflich aber bestimmt.
35. Respektieren Sie die Zeit Ihres Partners - dann respektieren Sie auch Ihre eigene Zeit.

12. Das Verhalten in Reklamations- und Beschwerdegesprächen

Bei Beschwerden und Reklamationen werden immer wieder dieselben primitiven Fehler gemacht. Es gibt direkt einen Formulierungs-Schätz, mit dem man bei solchen Gesprächen Freunde und Kunden verlieren kann.

A. 17 goldene Worte für die professionelle Kundenvertreibung:

1. Das ist völlig ausgeschlossen.
2. Das kann gar nicht stimmen.
3. Da müssen Sie sich täuschen.
4. Das gibt es gar nicht.
5. Das kann ich mir überhaupt nicht vorstellen.
6. Das habe ich noch nie gehört.
7. Das ist noch nie vorgekommen.
8. Sie sind der Erste.
9. Sie sind der Einzige.
10. Da müssen Sie selber irgend etwas falsch gemacht haben.
11. Sie sind sicher besonders empfindlich.
12. So etwas kann bei uns gar nicht vorkommen.
13. Vergessen Sie bitte nicht, wer wir sind.
14. Vergessen Sie bitte nicht unseren Ruf.
15. Dafür haben wir eine zu lange Erfahrung.
16. Keiner unserer großen, bedeutenden und anständigen Kunden hat bisher Anlaß gefunden, so etwas zu bemängeln.
17. Von einem Amerikaner oder Engländer haben wir eine solche Beschwerde noch nie gehört!

B. Das richtige Verhalten bei der Behandlung von Beschwerden und Reklamationen

1. Vielleicht ist der Anlaß für die Beschwerde von der Sache, von der Größenordnung und von der Auswirkung her geringfügig und banal.
   Das sagt jedoch nichts aus über die emotionale Wirkung. Die ungeeignete Bemerkung eines Kellners zu einem Gast, kann diesen in einen Zustand versetzen, als hätte ihm jemand sein Haus angezündet.
2. Es ist völlig sinnlos in einer solchen Situation mit sachlichen Argumenten zu beginnen.
   Was der „Geschädigte" benötigt, sind Mitgefühl, Höflichkeit, Liebenswürdigkeit und deutlich erkennbare Wertschätzung ihm gegenüber.
3. Hören Sie ihm geduldig zu. Lassen Sie ihn ausreden. Unterbrechen Sie ihn nicht.

4. Schenken Sie ihm Ihre volle Aufmerksamkeit.
5. Machen Sie keine Bemerkungen, die ihn noch mehr reizen.
6. Demonstrieren Sie Ihren Willen, ihm zu helfen.
7. Diffamieren Sie nicht
   a) seine Bedeutung
   b) sein Niveau
   c) seinen Status
   d) seine Beurteilungsfähigkeit
   e) seine Erfahrungen
   f) seine Intelligenz.
8. Vergleichen Sie ihn nicht abwertend mit anderen.
9. Machen Sie keine Gegenvorwürfe.
10. Versuchen Sie nicht sofort den Vorfall zu verniedlichen.
11. Stellen Sie nicht heraus, wie bedeutend Sie oder Ihre Organisation sind. Lassen Sie ihn viel mehr erkennen, für wie bedeutend Sie ihn halten und was Sie deshalb alles unternehmen wollen, um ihn zufrieden zu stellen.

13. Wie stellen sich Einkäufer einen guten Verkäufer vor?

1. Er kennt die Probleme und die Wünsche seiner Kunden.
2. Er kennt die Fragen, die sich ein Kunde stellt, bevor er zu einer Entscheidung gelangt.
3. Er hat sich auf Verkaufsgespräche gründlich vorbereitet.
4. Er hat innerhalb der Vorbereitung bereits geprüft, wie er sich dem Kunden gegenüber positiv von Konkurrenzverkäufern abheben kann.
5. Er ist also genauestens über Konkurrenzerzeugnisse, Konkurrenzdienstleistungen und Bearbeitungsmethoden unterrichtet.
6. Er analysiert die Probleme seines Kunden gründlich.
7. Er verfügt über eine ausgezeichnete Fachkenntnis auf seinem eigenen Gebiet.
8. Er nimmt Reklamationen seiner Kunden ernst. Er zeigt, was die Firma unternommen hat, um in Zukunft Reklamationsfälle dieser Art auszuschalten.
9. Er faßt sich kurz und spricht präzise.
10. Er entkompliziert.
11. Er redet nicht nur, sondern er zeigt auch etwas. Er spricht das Auge und das Ohr seines Gegenübers an.
12. Er hat eine ausgezeichnete Ausrüstung bei sich.
13. Er ist von seiner Aufgabe begeistert.
14. Er ist fleißig.
15. Er verfügt über Überzeugungskraft, Kontaktfähigkeit und Gewandtheit.
16. Er ist ausdauernd und nicht leicht zu entmutigen.
17. Er ist korrekt gekleidet und korrekt in seinem Auftreten – Er hat gute Manieren.
18. Er ist pünktlich und hält seine Versprechungen ein.
19. Er ist ein guter Berater.
20. Er bringt viele Informationen.
21. Er ist freundlich.
22. Er kritisiert seine eigene Firma nicht.
23. Er arbeitet systematisch.
24. Er ist reaktionsschnell.
25. Er hört aktiv zu.

14. Was fürchten Kunden bei einem Verkaufsgespräch?

1. Den Kauf der falschen Erzeugnisse.
2. Den Kauf falscher Mengen.
3. Den Einkauf beim falschen Lieferanten.
4. Schwierigkeiten beim Weiterverkauf.
5. Das Eingehen zu starker Bindungen und das Hineinkommen in eine Abhängigkeitssituation.
6. Zu hohe Preise.
7. Zu starke Bindung finanzieller Mittel.
8. Einseitige Informierung.
9. Versprechungen, die dann nicht eingehalten werden.
10. Qualitative Mängel.
11. Kritik von Vorgesetzten, Kollegen oder Untergebenen.
12. Kritik anderer Lieferanten und ihrer Verkäufer.
13. Entscheidungen überhaupt.

15. Was schätzt ein Kunde bei seinem Lieferanten?

1. Beweise dafür, daß er mit den Erzeugnissen des Lieferanten wirklich Geld verdienen kann.
2. Beweise dafür, daß der Lieferant weiß, wie er dem Kunden beim gewinnbringenden Verkauf helfen kann.
3. Verständnis für die Sortimentspolitik des Kunden.
4. Richtige Sortimentsberatung.
5. Verständnis für Aufgaben, Forderungen und Probleme der Mitarbeiter des Kunden.
6. Intensiver Vorverkauf durch die geeignete Werbung.
7. Hilfe beim Weiterverkauf.
8. Einwandfreie Erzeugnisse.
9. Realistische Verkaufsförderungsprogramme.
10. Brauchbare, in der Praxis erprobte Mittel der Verkaufsförderung.
11. Brauchbare, in der Praxis erprobte Werbehilfen.
12. Unterstützung beim Verkaufstraining.
13. Hilfe bei anderen Problemen, die er hat.
14. Schnelle, zufriedenstellende Reklamationserledigung.
15. Keine ungünstigere Behandlung als andere vergleichbare Kunden.
16. Schnelle Informierung.
17. Höfliches Verhalten.
18. Verläßlichkeit - Einhaltung von Zusagen.
19. Flexibilität anstelle von Behördenstil.
20. Genauigkeit.
21. Anerkennung seiner Persönlichkeit.
22. Lieferung von Sicherheit.
23. Entwicklung eines Bequemlichkeitsprogrammes für die Zusammenarbeit.

16. Image-Ziele

Welche Kommunikationserfolge in dieser Hinsicht streben Unternehmen an?
Wie möchten sie von Ihren Kunden gesehen werden?

Dieses Unternehmen...

1. ist *technisch immer auf dem neuesten Stand.*
2. ist eine *Wachstumsfirma* mit hervorragenden Zukunftsaussichten.
3. wirkt *jugendlich und alert.*
4. ist *für einen harten Wettbewerb gerüstet* und wird von der Konkurrenz nicht überrollt werden.
5. verhält sich *fair* gegenüber Mitbewerbern.
6. besitzt auf bestimmten Gebieten fast eine Monopolstellung *kraft Leistung.*
7. *nutzt diese nicht* rücksichtslos aus.
8. hat viele *Pionierleistungen* vollbracht.
9. ist *investitionssicher.*
10. liefert wichtige Hinweise über die Entwicklung in der Zukunft – *interessante Prognosen.*
11. ist als *Spezialist auf verschiedenen Gebieten* bekannt.
12. hat eine *ausgezeichnete Planung.*
13. verfügt über ein *umfassendes Lieferprogramm.*
14. *beschäftigt sich intensiv mit Kundenproblemen* – stellt den Kunden in den Vordergrund – berät Kunden hervorragend.
15. wird *professionell* geführt.
16. verfügt über *oberste Führungskräfte,* die Wert darauf legen, selbst *engen Kontakt zu Kunden* zu halten und Kunden selber zu besuchen.
17. benimmt sich im Geschäftsverkehr so, wie man das von *ordentlichen, angesehenen Kaufleuten* verlangen muß.
18. ist *aufgeschlossen* für Anregungen von Kunden und läßt sich von Kunden gerne beraten.
19. stellt *hohe Anforderungen an die eigenen Mitarbeiter* – es herrscht eine wirkliche Leistungsatmosphäre.
20. tut viel für die *Aus- und Weiterbildung* der eigenen Mitarbeiter.
21. verfügt über Mitarbeiter, die alle *verkaufsbewußt* sind und kundenorientiert denken.
22. hat ein *gutes Klima der Zusammenarbeit.*
23. ist *verläßlich,* hält sich an Zusagen, hält Termine ein.
24. ist außerordentlich *höflich, freundlich und liebenswürdig.*
25. kümmert sich nicht nur um wirtschaftliche Aufgaben, sondern auch um das Allgemeinwohl – vollbringt *wichtige Leistungen für die Öffentlichkeit.*

26. *gibt selber verursachte Fehler zu* und schafft sie schnell aus der Welt.
27. ist bei der *Reklamationsbehandlung großzügig und verständnisvoll.*
28. hat einen *guten Kundendienst.*
29. ist *unbestechlich, ehrlich und seriös.*
30. hat eine *gute Zahlungsmoral.*
31. hat eine *korrekte Preispolitik.*
32. hat eine *gute Publizität* und eine wirkungsvolle Zusammenarbeit mit der Presse.
33. hat *modern eingerichtete Geschäftsräume* und Fertigungsstätten.
34. hat *Mitarbeiter, die mit Schwung und Dynamik arbeiten.*
35. informiert die Kunden gut.
36. hat einen *freundlichen, kompetenten Telefondienst.*
37. führt eine *mustergültige Korrespondenz* – beantwortet Briefe ordentlich und schnell.
38. verhält sich gegenüber Abhängigen großzügig, fair und freundlich. Nicht nur VIP-Programm, sondern *auch NIP-Programm.*
39. ist *nicht überheblich* – ist *nicht unpersönlich.*
40. ist *nicht schwerfällig.*
41. *zeigt kein diktatorisches Verhalten.*
42. ist *außerordentlich schnell.*

Was können Sie tun, um dieses Image zu erreichen?

Das Image ist die Vorstellung, die bei Kunden und anderen Öffentlichkeiten über den ureigensten Charakter des Unternehmens herrscht.

Jede Firma braucht also Programme, um den angestrebten Charakter zu schaffen.

Rein kosmetische Maßnahmen können Charakterfehler langfristig nicht verdecken. Der Ansatz: „Wir müssen den Menschen draußen im Lande unsere Leistungen besser sichtbar machen und besser verkaufen", reicht nicht aus.

Von nichts kommt nichts. Es ist nicht damit getan, Eigenschaften zu behaupten. Programme sind nötig, um diese Eigenschaften Wirklichkeit werden zu lassen.

Da eine Vielzahl positiver Charakter-Eigenschaften erforderlich ist, um das angestrebte Image zu schaffen, brauchen Sie auch eine Reihe von Programmen. Hier sind einige:

1. Unser Zuverlässigkeits-Programm.
2. Unser Fehler-Vermeidungs-Programm.
3. Unser Null-Fehler-Programm.
4. Unser Schnelligkeits-Programm.
5. Unser Bequemlichkeits-Programm.
6. Unser Sicherheits-Programm.
7. Unser Höflichkeits-Programm.

8. Unser Freundlichkeits-Programm.
9. Unser Anerkennungs-Programm.
10. Unser Verpersönlichungs-Programm.
11. Unser Bedank-Programm.
12. Unser Vereinfachungs-Programm.
13. Unser Aufgeschlossenheits-Programm.
14. Unser Seriositäts-Programm.
15. Unser Ehrlichkeits-Programm.
16. Unser Großzügigkeits-Programm.
17. Unser Entlastungs-Programm.
18. Unser Fairness-Programm.
19. Unser Reklamations-Vermeidungs-Programm.
20. Unser Informations-Programm.
21. Unser Ideen-Belieferungs-Programm.
22. Unser Erfolgshilfe-Programm.
23. Unser Anti-Schwerfälligkeits-Programm.
24. Unser Anti-Überheblichkeits-Programm.
25. Unser Unterstützungs-Programm.
26. Unser Menschlichkeits-Programm.
27. Unser Fröhlichkeits-Programm.

17. Wie kann ein Kunde einem Lieferanten helfen?

Ansätze für die bessere Kommunikation:

1. Argumente für unsere Erzeugnisse aus seiner Sicht – in seiner Sprache.
2. Erfolgsinformationen über die Nutzenstiftung unserer Erzeugnisse.
3. Tips für eine bessere Benutzung unserer Erzeugnisse.
4. Test-Ergebnisse.
5. Anwendungsideen.
6. Informationen über seine Probleme, Aufgaben und Ziele.
7. Informationen über seine Kunden.
8. Bewertungskriterien für bei uns anstehende Entscheidungen.
9. Verbesserungsideen für unsere Erzeugnisse.
10. Verbesserungsideen für unsere Dienstleistungen.
11. Verbesserungsideen für unser Firmengesicht.
12. Verbesserungsideen für die Zusammenarbeit zwischen uns.
13. Ideen für die Verbesserung des technischen Service.
14. Verbesserungsideen für die Abhebung von der Konkurrenz.
15. Ideen für neue Erzeugnisse.
16. Ideen für die Abrundung des Verkaufsprogramms.
17. Marketing-Ideen.
18. Mitwirkung in einem Kunden-Beirat.
19. Mitwirkung beim Training unserer Führungskräfte.
20. Mitwirkung beim Training unserer Verkäufer.
21. Betriebsbesichtigungen bei ihm.
22. Mitarbeit bei ihm.
23. Gemeinsame Marketing-Aktionen.
24. Teilnahme am Training seiner Mitarbeiter.
25. Seine Veröffentlichungen.
26. Sein Werbematerial.
27. Sein Verkaufsförderungsmaterial.
28. Hinweise auf die Fachliteratur, die er studiert.
29. Adressen potentieller Kunden.
30. Referenzschreiben.
31. Direkte Empfehlungen an potentielle Kunden.
32. Hilfe bei der Kunden-Gewinnung.

18. Ziele für gemeinsame Kundenbesuche mit Verkäufern

1. Hemmungen beseitigen.
2. Positives verstärken.
3. Verbesserungsmöglichkeiten und Chancen aufzeigen.
4. Mut geben für kommende Gespräche.
5. Speziellen Weiterbildungsplan erarbeiten.
6. Die Einstellung zu Kunden, Erzeugnissen, Methoden, Problemen verändern.
7. Verhaltensänderungen bewirken.
8. Verkäufer beraten und beliefern mit
   a) Erfolgsgrundsätzen
   b) zweckmäßigen Methoden und Verhaltensweisen
   c) wichtigen Erfolgsfaktoren
9. Ihn gegenüber den Gesprächspartnern aufwerten.
10. Ihm bei der Lösung von Verkaufsproblemen helfen.
11. Seine Selbstsicherheit verstärken.
12. Die existierende Unterstützung klarmachen – Informations- und Ideen-Quellen aufzeigen – ihn nicht allein lassen.

19. Regeln für das Gespräch mit einem Verkäufer nach einem gemeinsamen Kundenbesuch

1. Lassen Sie ihn das Gespräch selber beurteilen.
2. Lassen Sie ihn zuerst sprechen.
3. Lassen Sie ihn ausreden.
4. Hören Sie intensiv und mit Sympathie zu.
5. Bringen Sie ihn zur Klarheit, indem Sie fragen: „Was meinen Sie bitte im einzelnen?"
6. Verhalten Sie sich freundlich und höflich.
7. Bombardieren Sie ihn nicht mit Anregungen.
8. Unterlassen Sie penetrante und überhebliche Belehrungen.
9. Es kommt darauf an zu helfen und nicht, die eigenen Fähigkeiten herauszustellen.
10. Zeigen Sie ihm, daß Sie die Schwierigkeiten sehen, mit denen er zu kämpfen hat.
11. Heben Sie das Positive hervor.
12. Zeigen Sie konkrete Verbesserungsmöglichkeiten auf.
13. Besprechen Sie mit ihm, was die Firma ändern muß, um ihn künftig besser zu unterstützen und es ihm leichter zu machen.
14. Fragen Sie ihn, warum er sich bei diesem und jenem auf eine bestimmte Weise verhalten hat.
15. Lassen Sie ihn selber Verbesserungsvorschläge machen.
16. Lassen Sie ihn selber unzweckmäßige Verhaltensweisen aufspüren.
17. Lassen Sie ihn selber erfolgsbestimmende Faktoren herausfinden.
18. Geben Sie ihm eine Checklist, mit der er Faktor für Faktor Verbesserungsmöglichkeiten aufspüren kann.
19. Geben Sie ihm ganz konkrete, spezielle Anregungen, mit denen er in der Praxis wirklich etwas anfangen kann.
20. *Konkrete Fragen,* die Sie stellen können:
    a) Was haben Sie erreicht – was nicht?
    b) Was war an unserem Verhalten zweckmäßig?
    c) Was sollte man zukünftig anders machen?
    d) Welche Hindernisse und Einwände wollen wir zukünftig wie behandeln?
    e) Was sind Ihre besonderen Stärken?
    f) Was wollen Sie verbessern?
    g) Wofür hätten Sie gerne einen Tip?
    h) Was sind die wichtigsten Erkenntnisse aus diesem Besuch?
    i) Was können Sie tun, um Ihre Erfolgsfähigkeit zukünftig noch mehr zu erhöhen?
    j) Welche Ziele haben wir für den nächsten Besuch – wie wollen wir vorgehen, um diese Ziele zu erreichen?

20. Erfolgsregeln für professionelle Verkaufsverhinderer

1. Sagen Sie einem reklamierenden Kunden, *Sie wären mit Ihrer Firma noch weniger zufrieden als er.* Spenden Sie ihm Trost. Sagen Sie ihm wie glücklich er sein kann, daß ihm nicht mehr passiert ist. Nennen Sie ihm schlimmere Reklamationsfälle.
2. Sagen Sie einem reklamierenden Kunden, *dies wäre die erste Reklamation,* die Ihre Firma seit ihrem Bestehen erhalten hätte. Bitten Sie den Kunden darum, sich sofort zu entschuldigen.
3. *Wecken Sie das Mitleid des Kunden.* Klagen Sie ihm Ihr schweres Schicksal. Arbeiten Sie nach der Jammermasche. Weinen Sie Ihre Tour ab. Jeder Kunde verfügt über einen Spendenetat.
4. Zeigen Sie dem Kunden bereits *durch Ihre Kleidung,* wie stark Sie auf seine Aufträge angewiesen sind. Schiefe Absätze sind die Basis, auf der sich das Mitgefühl des Kunden aufbaut.
5. Machen Sie sich *nicht die Mühe, Einzelkenntnisse* über Ihre Erzeugnisse *zu erwerben.* Der Kunde wird Ihnen früh genug mitteilen, was mit Ihren Erzeugnissen los ist.
6. Versuchen Sie, den Kunden auf ein *angemessenes Kleinformat* zu reduzieren, indem Sie die Größe Ihrer Firma mit der seines Unternehmens vergleichen.
7. Entwickeln Sie für sich ein *Energie-Erhaltungs-Programm.* Entspannen Sie sich, während der Kunde redet. Sichern Sie sich den Kraftzufluß positiven Denkens. Lassen Sie Ihre Gedanken wandern. Lassen Sie sich nicht lähmen durch das Negative, das der Kunde vor sich hinbetet.
   Aktives Zuhören verkrampft. Sollten Sie einen Hörapparat haben, dann nehmen Sie die Batterie am besten vor dem Besuch heraus.
8. *Der Kunde ist König.* Also versprechen Sie ihm alles, was er versprochen haben möchte. Stimmen Sie jeder gewünschten Lieferzeit zu. Jeder erfahrene Kunde weiß, daß Lieferfristen doch nicht eingehalten werden und auf die erfahrenen Kunden kommt es schließlich an.
9. *Unterbrechen Sie den Kunden laufend.* Welcher Kunde weiß schon, was er wirklich will. Verhüten Sie, daß er sich mit seinen eigenen Worten verwirrt.
10. *Bedienen Sie sich nicht der Fachsprache des Kunden.* Wählen Sie eigene Begriffe. Je weniger der Kunde Sie versteht, um so mehr betrachtet er Sie als Fachmann und folgt Ihrem Urteil.
11. Es gibt Kunden, die ein starkes Sicherheitsstreben haben. Zeigen Sie diesen Kunden, wie wichtig es ist, *Freude am Risiko* zu entwickeln und demonstrieren Sie Beispiele wirtschaftlicher Tollkühnheit.
12. Kunden mit starkem Bequemlichkeitsstreben bringen Sie am besten *etwas auf Trab.* Erzieherisch wirkt es, wenn Sie bei diesen Kunden jeglichen Service vermissen lassen.
13. *Es ist gefährlich, sich auf Verkaufsgespräche vorzubereiten,* denn das Studium der Kundenunterlagen stimmt Sie meist extrem pessimistisch. Erhalten Sie sich Ihren Optimismus. Die Information ist der Feind der guten Laune. Nichts wissen, nichts sehen, nicht zuhören.

14. *Ein Verkaufsgespräch ist ein Lehrgespräch.* Erziehen Sie den Kunden, belehren Sie ihn, erinnern Sie ihn an seine Schulzeit.

15. *Studieren Sie nicht die modernen Techniken des Einkaufs* – sonst wird Ihre Abneigung gegenüber Einkäufern noch größer.

16. *Kümmern Sie sich um die Familie des Kunden.* Fragen Sie, wie es dem Sohn geht, der vor fünf Jahren als Tochter geboren wurde. Auch einen kleinen Irrtum dieser Art wird man Ihnen nicht übelnehmen – man hatte sich ohnehin einen Sohn gewünscht.

17. *Erfreuen Sie den Kunden mit Witzen.* Manche von Ihnen hat er seit Jahren nicht mehr gehört.

18. *Verlangen Sie von einem Kunden keine Entscheidungen.* Lassen Sie ihm Monate Zeit. Er hat einmal in seinem Leben eine Entscheidung getroffen. Die sieht er jetzt jeden Abend zu Hause. Sie werden verstehen, daß er jetzt etwas zurückhaltender mit Entscheidungen ist.

19. *Es ist unfein, den Kunden nach einem Auftrag zu fragen.* Genausogut könnten Sie ihn direkt um eine bestimmte Summe bitten.

20. *Studieren Sie die Unterlagen,* die Sie auf dem Schreibtisch des Kunden sehen. Sie können aus ihnen mehr lernen als aus einem Fachbuch. Sie erfahren daraus die wirklichen Probleme des Kunden. Jeder Kunde wird es dankbar vermerken, wenn er sieht, wie interessiert Sie an dem sind, was auf seinem Schreibtisch liegt.

21. *Wenn Ihnen der Kunde sagt, er hätte keine Zeit,* dann antworten Sie ihm: „Das paßt aber gut...“. Sie hätten schon befürchtet, er würde Sie lange aufhalten. Im übrigen: Zeit sei Geld und Sie wollten schließlich nicht seine Zeit.

22. *Sagen Sie dem Kunden, Sie wären nur zufällig vorbeigekommen.* Dann muß er nicht befürchten, daß Sie ihm etwas verkaufen wollen.

23. *Suchen Sie sich den besten Stuhl im Zimmer des Kunden aus.* Nehmen Sie Platz, bevor er es sich bequem machen kann. Er sitzt ohnehin schon zu lange zu weich. Je härter er sitzt, um so weniger wird er Ihnen die Zeit stehlen.

24. *Geben Sie niemals dem Kunden gegenüber einen Fehler zu.* Wenn Sie das einmal gemacht haben, dann glaubt der Kunde auch beim nächsten Fall, daß es an Ihnen liegen könnte.

25. *Melden Sie sich grundsätzlich nicht an,* sonst leitet der Kunde daraus das Recht ab, Ihnen vorschlagen zu dürfen, wann er für Sie Zeit hat. Der Kunde darf nie wissen, daß Sie kommen, muß aber immer damit rechnen.

26. *Wenn der Kunde irgend etwas zu bemängeln hat* – und selbst wenn er dies vorsichtig tut im Stile von „Man wird doch einmal fragen dürfen“ – dann sagen Sie ihm direkt: „Nein, man wird nicht!“.

27. *Es gibt Kunden, die es immer noch wagen,* dem Verkäufer mit Einwänden auf die Nerven zu gehen. Sehen Sie einem solchen Kunden fest in die Augen. Aber antworten Sie ihm nicht. Jedes Wort wäre zu viel. Der Kunde muß selber merken, was er sich mit seinem Einwand geleistet hat. Sehen Sie ihn zweifelnd an, so als ob er sich nicht ganz wohlfühle. Fragen Sie ihn gegebenenfalls, ob er vergessen habe, welche Firma Sie repräsentieren.

28. *Weichen Sie keinem Streitgespräch aus,* das Ihnen der Kunde anbietet. Der Kunde wird vielleicht in kleinlicher Rachsucht keinen Auftrag erteilen, aber für Sie ist es ein wohltuendes Gefühl, daß Ihre Argumente stärker waren.

29. *Die Kundenanalyse ist ein wichtiger Erfolgsfaktor.* Betrachten Sie den Kunden deshalb von oben bis unten. Lassen Sie ihn erkennen, zu welchen Ergebnissen Sie gekommen sind. Auch ein Kunde möchte gerne wissen, wie er bei anderen ankommt.

30. *Konzentrieren Sie sich auf die eine wichtige Person beim Kunden.* Vergessen Sie die Mitarbeiter des Kunden. Sie sehen ja, wie der Kunde selbst sie behandelt. Warum wollen Sie zu den Mitarbeitern freundlicher sein als ihr Chef?

31. *Merken Sie sich nicht den Namen des Kunden.* Und falls Sie es doch tun, kommt es auf kleine Ungenauigkeiten nicht an. Der Kunde weiß schließlich selber genau, wie er heißt.

32. *Hüten Sie sich davor, sich für einen Auftrag zu bedanken.* Der Kunde kommt sonst auf die Idee, er hätte Ihnen einen Gefallen getan.

33. *Binden Sie den Kunden stärker an sich durch viele Kleinaufträge.* Er soll lieber weniger kaufen, aber dafür öfter. Damit verhalten Sie sich auch kollegial gegenüber Ihrer Fakturierabteilung. Sie erhalten vielen Mitarbeitern Ihrer Firma den Arbeitsplatz.

34. *Verkaufen Sie kein Zubehör.* Mit jedem zusätzlichen Teil, das Sie verkaufen, steigt die Reklamationsgefahr.

35. *Machen Sie nicht den Fehler, mit dem Kunden zusammen dessen Probleme herauszufinden.* Nachher sind sie da und Sie können sie nicht lösen.

36. *Vereinbaren Sie keine Besuchstermine.* Woher wollen Sie im voraus wissen, wann Sie gerade Zeit für den Kunden haben.

37. *Helfen Sie dem Kunden dabei, sein Urteilsvermögen richtiger* einschätzen zu lernen. Demonstrieren Sie ihm, was er sich wieder geleistet hat, als er bei der Konkurrenz kaufte.

38. *Erzählen Sie dem Kunden nicht zu viel Gutes über seine Kollegen.* Er trifft sie sicher bald und braucht Munition.

39. *Es gibt Kunden, die können Ihre Produkte nicht gebrauchen.* Damit ist aber nicht gesagt, daß sie nicht kaufen können. Wozu haben die Kunden ihre Lagerräume?

40. *Lassen Sie Ihre Zigarettenasche auf den Teppich des Kunden fallen,* besonders wenn der Teppich neu ist. Das lenkt den Kunden von seinen Rabattwünschen ab. Blasen Sie dem Kunden den Zigarettenrauch in die Augen. Dann kann er den kleingedruckten Text in Ihren Geschäftsbedingungen nicht lesen.

41. *Verabschieden Sie sich nicht zu schnell nach Erhalt eines Auftrages.* Es könnte sein, daß der Kunde es sich noch einmal überlegen möchte.

Teil 3: Die Kommunikation zwischen Chef und Mitarbeitern

Inhaltsverzeichnis

1. Die Organisation der Kontakte und die Gewinnung störarmer Stundenblocks

1. Eine *Kontaktaufnahme zum falschen Zeitpunkt* wird zur Störung.
2. Ständige Unterbrechungen Ihrer Arbeit zerlegen Ihnen die verfügbare Zeit in *Minuten-Beträge.*
3. Wichtige Aufgaben können Sie nur in größeren, *zusammenhängenden Zeiteinheiten* bewältigen.
4. Mit 5-Minuten-Beträgen können Sie als Verkehrs-Schutzmann tätig sein. Eine neue Straßenverkehrsordnung für die Firma können Sie jedoch nicht entwickeln. *Sie können nicht schöpferisch arbeiten, wenn Sie laufend gestört werden.*
5. Viele sind deshalb so belastet, weil sie niemals gründlich analysieren, wie *Kontaktaufnahmen zustandekommen,* und weil sie ihre Zeitzuordnung auf Gespräche nicht kritischer beobachten.
6. Es kommen zu viele Gespräche *rein zufällig zustande.*
7. Es finden *zu häufige Gespräche statt.* Ein Thema – ein Kontakt. Anstatt Themen für die gebündelte Behandlung zusammenzufassen.
8. *Die ersehnte Störung* gibt es auch noch.
9. Den einzelnen Mitarbeitern sind *Sprechzeiten* zuzuordnen.
10. Legen Sie *Sperrstunden* fest, in denen alle Führungskräfte – kaum gestört – wichtige Arbeiten erledigen können.
11. Prüfen Sie, wie stark *Sie selber* Ihre Mitarbeiter bei der Arbeit stören.
12. Bedenken Sie dabei, daß Ihre Kontaktaufnahme mit einem Mitarbeiter wegen *eines Punktes* dem anderen die Chance gibt, eine Fülle von Punkten zu behandeln und aufzutischen, und Ihnen damit die ganze Tagesordnung zu zerschlagen.
13. Prüfen Sie, ob manche Kontaktaufnahmen nichts anderes sind als *Ersatzbeschäftigungen,* um wichtigen und unangenehmen Arbeiten zu entfliehen.
14. Sammeln Sie in einer *Vorbereitungskartei* leitkartenmäßig gegliedert nach Mitarbeitern zu denen man häufig Kontakte hat – die Punkte, die zu besprechen sind. Greifen Sie nicht sofort zum Telefonhörer. Kommen Sie nicht sofort zu einem Gespräch zusammen.
15. Studieren Sie die Verhaltensweisen, mit denen es Unterbrechern gelingt, *Zeit von Ihnen zu erhalten.* Wie gehen diese Mitarbeiter vor?
16. Machen Sie eine Liste derjenigen, die Ihnen Ihre Stunden besonders stark in Minuten-Beträge zerlegen. Eine Liste der Mitarbeiter, die am *häufigsten mit Hilfeschreien* aufmarschieren!
17. Machen Sie eine Liste der *Anlässe,* die zu Unterbrechungen Ihrer Arbeit führen.
18. Wie groß ist *der größte Zeitraum,* in dem Sie ohne Unterbrechungen arbeiten können?
19. Gibt es *Störballungen* im Tagesablauf?
20. Stören einen die Mitarbeiter deshalb so viel, weil man ihnen *mit gutem Beispiel vorangeht?*

21. Kommen Mitarbeiter zu Besprechungen *mangelhaft vorbereitet?* Müssen Sie selbst als erster Taucher des Unternehmens in den Morast der Informationsbeschaffung hineinspringen? Werden Sie zu Verhandlungen genötigt, ohne informatorisch Boden unter den Füßen zu haben? Weigern Sie sich, Gespräche zu führen, zu denen die Mitarbeiter unvorbereitet erscheinen! *Erzwingen Sie die Vorbereitung.*

22. Prüfen Sie kritischer die möglichen *Kommunikationsmittel* zur Kontaktaufnahme:
    a) Telefonat?
    b) kurze, schriftliche Notiz – Schnellantwort?
    c) persönliche Besprechung?

23. Lassen Sie sich durch einen geschulten Telefondienst und durch das Sekretariat *besser abschirmen.*

24. Bedenken Sie, daß bei einer Zunahme der Unterbrechungen das Gesetz *vom abnehmenden Ergebniswillen* wirksam wird. Die Überzeugung, daß sich noch etwas Wichtiges schaffen ließe, nimmt immer mehr ab!

25. Nehmen Sie nur *geplant* Kontakt auf.

26. Führen Sie nur *gründlich vorbereitete* Gespräche.

27. Stellen Sie fest, mit wem Sie selber *routinemäßig* im Laufe des Tages Kontakt aufnehmen.
    a) wann?
    b) warum?
    c) ist das der geeignete Zeitpunkt?

28. Stellen Sie fest, *wer von sich aus routinemäßig* im Laufe des Tages mit Ihnen Gespräche führt
    a) wann?
    b) warum?
    c) ist das der geeignete Zeitpunkt?

29. Fällen Sie mehr *Grundsatzentscheidungen.* Dann brauchen Ihre Mitarbeiter nicht wegen jeder Einzelentscheidung bei Ihnen zu erscheinen.

30. Geben Sie den Mitarbeitern *bessere Anweisungen.* Eliminieren Sie damit Rückfragen.

31. *Welche Informationen* müssen Sie Ihren Mitarbeitern liefern, damit sie mit bestimmten Geschäftsvorfällen selber fertig werden können?

32. *Welche Befugnisse* müssen Sie Ihren Mitarbeitern geben, damit sie selber Einzelentscheidungen treffen können?

33. Erhöhen Sie das *Beurteilungsvermögen Ihrer Mitarbeiter und ihre Entscheidungsfähigkeit,* indem Sie die Mitarbeiter mit Beurteilungskriterien versorgen. Am besten kann das mit *Checklisten* geschehen. Diese sagen Ihren Mitarbeitern, welche Faktoren zu berücksichtigen sind und wie unterschiedlich wichtig die einzelnen Faktoren aus Ihrer Sicht sind.

34. *Kritisieren Sie Ihre Mitarbeiter nicht,* wenn diese initiativ selber eine Entscheidung getroffen haben, sonst hören sie damit auf.

35. Gestatten Sie Ihren Mitarbeitern nicht, die Verantwortung *bei Ihnen abzuladen.* Übernehmen Sie die angebotene Arbeit nicht selber. Verweigern Sie Antworten. *Stellen Sie Gegenfragen!* Veranlassen Sie, daß der Mitarbeiter diese Arbeit selber erledigt.

36. Ein Mitarbeiter, der mit einem Problem zu Ihnen kommt, muß wissen, daß Ihre erste Frage lautet: *„Wie lautet Ihr Vorschlag?“*

37. *Beraten und schulen* Sie Ihre Mitarbeiter besser, um sie selbständiger zu machen.

38. Ändern Sie das Verhalten von Mitarbeitern, die *gewohnheitsmäßig* stören.

39. Verzichten Sie auf die Verkündung des Spruches von der *„offenen Tür“*.

40. Für einen Mitarbeiter muß es *bequemer* sein, die *Arbeit selber zu erledigen,* als sie bei Ihnen abzuladen. Der Abladeakt muß zu mühevoll werden!

41. Welche Möglichkeiten sich bieten, *größere störarme Stundenblocks* zu gewinnen, erfahren Sie am besten durch eine Störanalyse.

42. Störungen, Unterbrechungen, Kontakte können Sie bequem mit einem *Formular mit 5-Minuten-Einteilung* registrieren. Sie können dabei mit Kurzzeichen Ihre Eintragungen machen:
    a) für erhaltene Telefonate: T
    b) für erhaltene Besuche: B
    c) für selber veranlaßte Telefonate: Ts
    d) für selber veranlaßte Besuche: Bs

43. Machen Sie eine solche Unterbrechungsanalyse *an mehreren aufeinanderfolgenden Tagen.* Stellen Sie anschließend eine Liste der Unterbrechungen Ihrer Arbeit und der Ursachen für diese Unterbrechungen auf.:
    a) welches sind die Hauptursachen für Unterbrechungen?
    b) wie lassen sich diese Ursachen aus der Welt schaffen?

Bei einer gründlichen Analyse der Gespräche, die Sie führen, sollten Sie sich für jedes einzelne Gespräch folgende Fragen stellen:

1. *Wer kam oder rief an?*
2. *Wann?*
3. *Wie lange dauerte das Gespräch?*
4. Welche *Themen* wurden behandelt?
5. War das Gespräch *überhaupt erforderlich?*
6. *War ein Extra-Gespräch erforderlich* oder hätte das Thema mit anderen Themen zusammen gebündelt behandelt werden können?
7. *War der Gesprächspartner vorbereitet?* – Hatte er die nötigen Unterlagen dabei? – Hatte er bereits einen Vorschlag ausgearbeitet?
8. Fand das Gespräch *zum geeigneten Zeitpunkt* statt?
9. Kam das Gespräch *geplant oder rein zufällig* zustande?
10. *Hätte der Gesprächspartner die Arbeit selber erledigen* müssen oder selber eine Entscheidung treffen müssen?
11. Fehlte dem Gesprächspartner eine *Grundsatzentscheidung?*
12. Welche *Informationen* fehlten ihm?
13. Welche *Befugnisse* fehlten ihm?

14. *Welche Maßnahmen sind aus der Analyse dieses Gespräches abzuleiten?*
a) um ein solches Gespräch in der Zukunft nicht mehr führen zu müssen?
b) um künftig das gleiche Pensum in einem kürzeren Gespräch zu bewältigen?
c) um mit dem behandelten Problem auf andere Weise fertig zu werden?

2. Das Kommunikations-Verhalten zu belasteter Führungskräfte

1. Ungeduldig – unduldsam.
2. Nervös – fahrig – aufgeregt.
3. Hektisch – keine „Philosophie der Ruhe".
4. Launenhaft.
5. Verliert zu schnell die Ruhe.
6. Redet zu viel selbst – unterbricht seinen Gesprächspartner laufend.
7. Hört nicht aufmerksam, intensiv und lange genug zu – ist mit seinen Gedanken (erkennbar) bei ganz anderen Themen – kann sich nicht auf das entsprechende Thema konzentrieren.
8. Überschlägt sich beim Sprechen – verspricht sich häufig.
9. Schweift laufend ab – springt von einem Thema zum anderen – bringt laufend Wiederholungen – erzählt jedes Negativ-Erlebnis dreimal.
10. Vermischt Wichtiges und Unwichtiges – bringt laufend irrelevante Dinge.
11. Zu langatmig – zu viel Ballast – zu viel Blabla.
12. Verliert während des Sprechens den Faden.
13. Schwarzmalerei.
14. Mit Redesucht auf Trostsuche.
15. Telefoniert, anstatt zu arbeiten.
16. Ständig auf der Flucht vor Entscheidungen.
17. Oder – eine Sofortaktion nach der anderen. (Die schlafen auch sofort wieder ein!)
18. Wirft eigene Entscheidungen und Mitarbeiter-Entscheidungen laufend um.
19. Horror vor Grundsatzentscheidungen – jede kleine Entscheidung wird immer wieder einzeln gefällt.
20. Ziele werden ständig geändert.
21. Maßnahmen werden begonnen und nicht zu Ende geführt.
22. Kritisiert ständig – hält laufend Ermahnungsansprachen.
23. Sucht laufend den Schuldigen.
24. Ist völlig fixiert auf eine Belastungsursache, der er mit seinen Gedanken nicht entweichen kann.
25. Flüchtet vor wichtigen Arbeiten und erfindet kreativ Ersatzbeschäftigungen.
26. Große Vorstellungskraft über alles, was in der Zukunft passieren kann – am Horizont nur schwarze Wolken.
27. Mischt sich ständig in delegierte Aufgaben ein, anstatt sich mit seinen eigenen Aufgaben zu beschäftigen.
28. „Kein anderer wird mit dem Problem fertig" – was man nicht selber macht, wird nichts!

29. Sieht keine Prioritäten und Rangunterschiede mehr – das Unwichtige zieht ihn an wie ein Magnet.
30. Sieht überall Indizien und Symptome für Negatives – fühlt sich von allem betroffen – sensitiver Beziehungswahn.
31. Interpretiert Indizien und Symptome grundsätzlich negativ.
32. Übertreibt das Negativ-Ausmaß von kleinen Fehlern und Pannen.
33. Erwartet bei eingeleiteten Maßnahmen zu schnell Erfolge -- kann mit seinen Fragen nicht warten bis zum Zeitpunkt, an dem ein Erfolg überhaupt erst möglich ist.
34. Zu geringer Turnus bei der Fortschrittsverfolgung.

3. Welche Kommunikations-Leistungen erwarten Mitarbeiter von ihrem Chef?

1. Ein klares Ziel – eindeutige Leistungsvorgaben.
2. Schnelle Schlüsselentscheidungen, damit ich mit meiner Arbeit vorankomme.
3. Gründlich vorbereitete Entscheidungen, damit Entscheidungen nicht laufend umgeworfen werden.
4. Nicht immer bereits fertige Antworten für die Lösung von Problemen. Ich möchte selber Vorschläge unterbreiten dürfen. Ich möchte selber Entscheidungen fällen dürfen.
5. Präzise Entscheidungen. Nicht Sprüche von diesem Kaliber: „Ich sage nicht ja. Ich sage nicht nein. Ich würde sagen, ich bin nicht ganz dagegen!"
6. Mein Enthusiasmus und Optimismus soll mir nicht laufend zerstört werden
   a) durch Zweifeln
   b) durch Nörgeln
   c) durch Skepsis
   d) durch Zynismus und Sarkasmus.
7. Ich möchte, daß mein Chef sich von mir beraten läßt.
8. Ich möchte Vertrauen geschenkt bekommen.
9. Ich möchte, daß über kleine Fehler einmal großzügig hinweggesehen wird, das steigert meine Selbständigkeit und meine Initiative.
10. Ich nehme gern Tips entgegen, wie ich bestimmte Fehler in Zukunft vermeiden kann. Ermahnungsansprachen fruchten weniger, wie man weiß.
11. Mein Chef sollte verstehen, in freundlicher Form anderer Meinung zu sein.
12. Er sollte eigene Fehler zugeben.
13. Arroganz stört mich.
14. Ich hätte gern mehr Handlungsfreiheit.
15. Auf meine Vorschläge sollte etwas intensiver eingegangen werden – ich möchte nicht abgewehrt werden – mehr Bereitschaft zur Zusammenarbeit.
16. Ich möchte vom Papierkrieg entlastet werden.
17. Ich möchte besser informiert werden:
    a) inhaltlich
    b) formal
    c) zeitlich
18. Ich möchte einen begeisterungsfähigen Chef.
19. Ich möchte nicht jede Kleinigkeit vorgeschrieben haben.
20. Ich möchte einen Chef, der wirklich delegieren will.
21. Ich möchte mehr Kollegialität in der Zusammenarbeit.
22. Mein Chef soll für mich erreichbar sein und ausreichend Zeit haben.
23. Er soll selber vormachen können, was er von anderen verlangt.

24. Meine Vorschläge und Anfragen hätte ich gerne schneller beantwortet.
25. Ich möchte nicht bevormundet werden.
26. Ich will nicht andauernd belehrt werden – ich möchte keinen Oberlehrer.
27. Ich höre gern einmal ein anerkennendes Wort – ich lese auch gern einmal eine Anerkennung.
28. Ich hätte gern ein Gefühl der Sicherheit und möchte nicht laufend in Spannung gehalten werden.
29. Ich möchte erfahren, was meinem Chef an meiner Arbeit nicht gefällt und was ich zur Veränderung tun soll.
30. Mein Chef soll sachlich kritisieren und nicht persönlich werden.
31. Er soll mich moralisch unterstützen.
32. Er soll mich motivieren und muß also wissen, von welchen Motiven ich mich leiten lasse.
33. Mein Chef soll sich für mein Weiterkommen interessieren – mich hinsichtlich meiner Karriere beraten.
34. Er soll nicht gegenüber anderen demonstrieren, daß meine Autorität ziemlich begrenzt ist.
35. Er soll mich bei Kunden und bei Kollegen nicht bloßstellen.
36. Er soll gerecht sein.
37. Er soll gegenüber seinen Mitarbeitern pünktlich und zuverlässig sein.
38. Brutalität in der Ausdrucksweise betrachte ich nicht als Ausdruck von Dynamik.
39. Wer sich selber nicht beherrschen kann, kann auch nicht führen.
40. Ich bin zu begeistern durch:
    a) Klarheit
    b) Logik
    c) Präzision
    d) gute Argumente
41. Ich möchte, daß auf meine Mentalität ein wenig Rücksicht genommen wird.
42. Für mich entsteht ein Vertrauensverhältnis in der Zusammenarbeit durch:
    a) Fairness
    b) Toleranz
    c) Takt
    d) Höflichkeit
43. Ich möchte, daß mein Chef mir etwas mehr zutraut.
44. Ich möchte nicht nur bewiesen bekommen, daß es richtig ist, bestimmte, schwierige Ziele anzusteuern, sondern auch Tips über die zu treffenden Maßnahmen bekommen, um diese Ziele zu erreichen.
45. Ich möchte einen Chef mit unabhängigem Denken:
    a) keinen Papagei
    b) keinen Einzel-Methoden-Fetischisten
    c) nicht jedes Jahr mit einem neuen Stein der Weisen unterwegs.

46. Ein Chef soll vorbildlich sein in seiner Zeiteinteilung und Zeitnutzung.
47. Er soll mehr voraussehen und planen.
48. Er soll sich auf Gespräche mit mir gründlich vorbereiten.
49. Er soll ein besserer Zuhörer werden.
50. Er soll mir sagen, wie seine Konzeption lautet.
51. Er soll mir sagen, von welchen Grundsätzen er sich leiten läßt.
52. Er soll prüfen, ob seine Forderungen wirklich erfüllbar sind und dies beweisen können.
53. Er soll außerordentlich verständlich sein in dem was er sagt – kein Verkomplizierer.
54. Er soll nicht glauben, daß man ihn bereits verstanden hat, wenn er etwas sagte.
55. Er soll seine Rhetorik verbessern.
56. Er soll seine Konferenz- und Diskussionsführung verbessern.
57. Er soll Diskussionen nicht laufend abwürgen, sondern auch die anderen zu Wort kommen lassen.
58. Er soll mich nicht andauernd stören und mir dadurch die Möglichkeit stehlen, meine Arbeit zu schaffen.
59. Er soll bei Gesprächen nicht andauernd Wesentliches und Unwesentliches so vermischen, daß ich das Entscheidende gar nicht mehr erkennen kann.
60. Er soll in der Lage sein, Probleme in ihrem einfachsten Kern darzustellen.
61. Er soll selbstbewußt sein, ohne arrogant zu sein.
62. Er soll nicht laufend kochen.
63. Er soll seine eigenen Aufgaben kennen und sich diesen Aufgaben widmen und nicht laufend Ersatzbeschäftigungen erfinden und in andere Gebiete eingreifen.
64. Er soll in seinen Handlungen etwas mehr voraussehbar sein.
65. Er soll seinen Mitarbeitern die Furcht vor Veränderungen nehmen.
66. Er soll nur das Volumen an Veränderungen einführen, das unbedingt erforderlich ist.
67. Er soll mich als Mitarbeiter instandsetzen, mit Veränderungen fertig zu werden.
68. Er soll Mitarbeiter vor ihren eigenen Schwächen bewahren und positive Zwangsläufigkeiten für ihr Verhalten schaffen.
69. Er soll als guter Zuhörer versuchen, zu erfassen, welches die wahren Ursachen für mein Verhalten und für meine Aussagen sind.
70. Er soll einen intensiven Erfahrungsaustausch organisieren, so daß aus der Praxis wirklich gelernt werden kann.
71. Er soll sich meine Ideen nicht an seinen Hut stecken.
72. Er soll meine Interessen auch mal nach oben vertreten.
73. Er soll sich gegenüber Außenstehenden so verhalten, daß ich stolz auf ihn bin:
    a) Erscheinung
    b) Auftreten

4. Welche Kommunikations-Leistungen erwarten Chefs von ihren Mitarbeitern?

A. Vorleistungen des Chefs

Wer andere ändern will, muß vorher sein Verhalten ändern. Auch hier gilt der bewährte Strategiegrundsatz des indirekten Vorgehens.
Sie können Ihre Mitarbeiter nur dann zu einer besseren Kommunikation bringen, wenn Sie selbst mit gutem Beispiel vorangehen.

1. Messen Sie die Belastung Ihrer Mitarbeiter durch Ihr eigenes Führungsverhalten. Welche zeitliche und emotionale Belastung bescheren Sie Ihren Mitarbeitern, indem Sie
   a) stören
   b) verwirren
   c) sich einmischen
   d) verzögern
   e) falsch kritisieren
   f) zu spät entscheiden
2. Wie sieht es in Zahlen aus?
   a) Wie häufig am Tag stören Sie andere?
   b) Wieviele Telefonate machen Sie?
   c) Wieviele Personen besuchen Sie?
   d) Wieviele rufen Sie zu sich?
   e) Wieviel starten Sie mit anderen, ohne es zu Ende zu führen?
   f) Wieviele Konferenzen führen Sie durch?
   g) Wieviele Gespräche?
   h) Was tun Sie außerdem, um als Chef Ihre Mitarbeiter zu belasten?
3. Planen Sie besser.
4. Geben Sie früher Bescheid.
5. Entscheiden Sie schneller. Entscheiden Sie überhaupt.
6. Lassen Sie auch Ihren Mitarbeitern störarme Stundenblocks.
7. Treffen Sie mehr Grundsatzentscheidungen.
8. Veranlassen Sie weniger in letzter Minute.
9. Verlangen Sie nicht zu viel auf Anhieb – geben Sie Vorbereitungs- und Beschaffungszeit.
10. Reden Sie nicht kontinuierlich über Ihre Ideen, sondern speichern Sie Ihre Einfälle.
11. Fragen Sie nicht unnötig um Rat.
12. Verlangen Sie weniger Wiedervorlagen.
13. Bereiten Sie sich gründlich auf die Auftragserteilung vor.
14. Geben Sie klare Anweisungen.
15. Rufen Sie nur Mitarbeiter, wenn es wirklich erforderlich ist.
    Kontaktaufnahme ist häufig nur Flucht vor unangenehmen Arbeiten.
    Arbeit ist immer das, was heute erledigt werden muß. Das andere ist Beschäftigung.
16. Setzen Sie keine unrealistischen Termine.

17. Stilisieren Sie keine kleineren Arbeiten zu Aufgaben.
18. Belasten Sie nicht durch fahrlässig gegebene Aufträge.
19. Leben Sie nicht nur in Gesprächen und Konferenzen.
20. Verlangen Sie keine ständigen Rücksprachen.
21. Werden Sie nicht der Papierkorb Ihrer Mitarbeiter.
    Erlauben Sie keine Rückdelegation.
22. Nehmen Sie die Selbständigkeit Ihrer Mitarbeiter ernst.
23. Lassen Sie mehr Entscheidungen selber treffen.
24. Mischen Sie sich nicht ein, aber helfen Sie auf Anforderung.
25. Loben Sie mehr – positive Verstärkung.
26. Verweigern Sie Antworten und stellen Sie Gegenfragen.
27. Brechen Sie unvorbereitete Gespräche ab.
28. Vermeiden Sie unnötiges Gerede. Fassen Sie sich kurz.
29. Verzichten Sie auf unnötige Mitteilungen.
30. Halten Sie selber Ihre Zusagen ein.
31. Halten Sie Termine ein.

B. Wünsche eines Chefs an seine Mitarbeiter

1. Helfen Sie mir dabei, Zeit zu sparen.
2. Stören Sie mich weniger.
3. Wenn Sie nichts zu tun haben, tun Sie es bitte nicht bei mir.
4. Nehmen Sie mehr Rücksicht auf die Arbeit, mit der ich mich gerade beschäftige.
5. Lenken Sie mich nicht ab.
6. Überlegen Sie den Zeitpunkt für eine Kontaktaufnahme besser.
7. Kommen Sie nicht wegen jeder einzelnen Sache zu mir, sondern behandeln Sie mehrere Punkte gebündelt.
8. Seien Sie bitte pünktlich.
9. Bereiten Sie sich gründlich auf Gespräche vor.
10. Stellen Sie die Unterlagen zusammen und bringen Sie die notwendigen Unterlagen mit.
11. Kommen Sie nicht nur mit Fragen und Problemen, sondern bringen Sie Antworten und Lösungen mit.
    Kommen Sie nicht mit vagen Vorschlägen, sondern mit konkreten, begründeten Empfehlungen.
12. Seien Sie genau in Kleinigkeiten.
13. Präsentieren Sie mir Zahlen, auf die ich mich verlassen kann.
14. Bringen Sie keine Übertreibungen. Bleiben Sie sachlich.
15. Informieren Sie mich inhaltlich und formal zweckmäßig.

16. Sprechen Sie Ihre Gedanken wohl geordnet, präzise kurz und knapp aus.
17. Legen Sie mir Vorschläge schriftlich präzise ohne Füllmaterial vor.
18. Sagen Sie mir nicht immer, warum etwas nicht geht.
    Sagen Sie mir lieber was geschehen muß, damit es funktionieren wird.
19. Konzentrieren Sie sich bei Gesprächen mehr.
20. Hören Sie intensiver zu.
21. Schreiben Sie sich mehr auf und verlassen Sie sich nicht nur auf Ihr Gedächtnis.
22. Geben Sie mir Erledigungsmeldungen.
23. Achten Sie auf Vertraulichkeit. Seien Sie diskret.
24. Schieben Sie eine notwendige Kritik nicht zu lange hinaus, sondern sprechen Sie frühzeitig über Verhaltens- oder Situationsmängel.
    Verhalten Sie sich dabei mir gegenüber so, wie Sie es auch von Ihrem Vorgesetzten Ihnen gegenüber stilmäßig erwarten.
    a) Kritisieren Sie nicht vor allen anderen, sondern unter vier Augen.
    b) Nicht vorwurfsvoll.
    c) Nicht unfreundlich.
    d) Werden Sie speziell.
    e) Bringen Sie nicht nur Negatives – stellen Sie das Positive daneben.
    f) Sagen Sie, was Sie selber dazu beitragen wollen, den Zustand zu ändern. Bieten Sie Hilfe an.
    g) Übertreiben Sie nicht.
    h) Bleiben Sie sachlich und höflich.

C. Wie verkauft man die eigenen Ideen dem Chef?

Hierzu die mögliche Antwort eines Chefs:

Sie haben Ideen und wir brauchen Ideen. Die Ausgangslage ist also günstig. Warum gelingt es Ihnen dann nicht, mich von Ihren Ideen zu überzeugen?
Ich genieße nichts lieber als die Ideen meiner Mitarbeiter. Aber sie müssen genießbar sein. Ich möchte ein gut gekochtes und wohlschmeckendes *Fertig*gericht und keine ungeordnete Sammlung von Zutaten.
Servieren Sie mir Ihre Vorschläge in der geeigneten Form. Werfen Sie mir Ihre Ideen nicht zwischen Tür und Angel zwischen die Zähne. Um mich für eine Idee zu gewinnen, müssen Sie mich informieren und überzeugen. Deshalb brauchen Sie eine gründliche Präsentations-Vorbereitung.
Sie müssen selbst wissen, was Sie wollen. Sie müssen methodisch vorgehen, um zu einem sinnvollen Vorschlag zu gelangen. Diesen gedanklichen Weg möchte ich in seinen einzelnen Etappen kennenlernen.
Jede Etappe verlangt von Ihnen die Beantwortung einer Frage. Dies sind die Fragen, die Sie sich gestellt haben sollten:

1. Wie ist die Situation?
   Wie lautet das Problem?
   Welche Chance existiert?

2. Welche Ursachen sind dafür verantwortlich?
3. Welches Ziel wollen wir erreichen?
4. Welche Hindernisse stehen der Erreichung dieses Ziels entgegen?
5. Welche Lösungsmöglichkeiten gibt es?
6. Mit welchen Faktoren sind die einzelnen Lösungen vergleichend zu beurteilen?
7. Welches ist die zweckmäßigste Lösung?
   a) Was kostet sie?
   b) Was bringt sie?
8. Was hat zu geschehen, um sie zu realisieren?

Wenn Sie mir diese Fragen kurz und präzise beantworten, dann haben Sie von der Sache her die Voraussetzung, um mich zu überzeugen.

Aber der Inhalt allein ist nicht alles. Eine gute Ware braucht eine gute Verpackung. Viele Hindernisse entstehen, weil die formalen Faktoren bei der Präsentation von Ideen nicht genügend berücksichtigt werden.
Hier sind 12 wichtige Regeln für die Präsentation von Ideen:

1. Überreichen Sie mir Ihren Vorschlag in schriftlicher Form.
2. Zu einem günstigen Zeitpunkt.
3. Wählen Sie einen Titel, der mich interessiert und zum Lesen reizt.
4. Fassen Sie auf einem Titelblatt das Wesentliche zusammen.
5. Geben Sie Ihrem Vorschlag ein Inhaltsverzeichnis.
6. Lassen Sie Ihren Vorschlag sauber und übersichtlich schreiben.
7. Lassen Sie einen breiten Rand. Zu lange Zeilen erhöhen den Lesewiderstand.
8. Benutzen Sie Randtitel.
9. Unterstreichen Sie Wichtiges und lockern Sie durch Untertitel auf.
10. Schreiben Sie klar und präzise in kurzen Sätzen.
11. Vermeiden Sie Füllmaterial sowie nichtssagende Begriffe und Formulierungen.
    Exhumieren Sie keine Wortleichen. Werden Sie speziell!
12. Informieren Sie mich so vollständig, daß ich den Vorschlag wirklich verstehen kann und nicht noch viele Informationen selber beschaffen muß.
    Nehmen Sie mir Zweifel und Vorbehalte durch die Lieferung von Beweisen für Ihre Behauptungen.
    Vielen Dank!

5. Mitarbeiter motivieren durch bessere Kommunikation

1. *Mehr Lob und Anerkennung:*
   a) Nicht nur für außergewöhnliche Leistungen, sondern auch für Normal-Leistungen
   b) Anerkennung in Beurteilungsgesprächen
   c) Anerkennung im Beisein anderer Mitarbeiter
   d) Anerkennungsbriefe
   e) Anrufen, um zu loben
   f) Anerkennungsurkunden
2. Mitarbeiter über ihre Arbeit und ihre Erfolge berichten lassen.
3. Spezielle Aussprachen, um gemeinsam zu erarbeiten, was in der Zusammenarbeit zu verbessern ist.
4. Menschliche Beziehungen aufbauen.
5. *An wichtigen Aufgaben mitarbeiten lassen:*
   a) In ein Komitee aufnehmen
   b) Ein Komitee leiten lassen
   c) Als Berater einer Gruppe einsetzen
   d) Für Trainingsaufgaben einsetzen
   e) Nicht immer als oberster Vorgesetzter eine Konferenz leiten, sondern Mitarbeiter abwechselnd die Konferenzleitung übernehmen lassen.
   f) Vorträge halten lassen
6. Leistungsvergleiche zwischen den Mitarbeitern herausgeben.
7. *Die Wertschätzung demonstrieren, die der Mitarbeiter genießt:*
   a) Den Mitarbeiter vor Kunden und anderen Außenstehenden herausstellen
   b) Weniger zeigen welche Position und Macht man selber hat.
8. *Mitarbeiter lobend erwähnen:*
   a) In Informationsdiensten
   b) In Rundschreiben
   c) In Hauszeitschriften
   d) In Kundenzeitschriften
   e) Auf Informationsbändern
   f) Trainingstonbändern
   g) Auf Video-Bändern
9. An Führungsbesprechungen teilnehmen lassen.
10. *Seine Ideen:*
    a) Eindeutig und intensiv genug als seine Ideen herausstellen
    b) Geduldig und aufgeschlossen mit ihm diskutieren
    c) Nicht sofort mit Standard-Einwänden abwürgen
    d) Mit Fragen, die man ihm liefert, seine Vorschläge selbst beurteilen lassen.
11. *Seine Wünsche und Vorschläge:*
    a) Schnell beantworten
    b) Offen diskutieren
    c) Zeit für ihn haben
    d) Aufmerksam und geduldig zuhören.

12. *Menschenwürde:*
   a) Nichts tun, was seine Menschenwürde verletzt
   b) Ihm nicht die Selbstachtung torpedieren
   c) Ihm nicht das Selbstvertrauen stehlen.
13. *Außerordentliche Höflichkeit:*
   Nicht immer der massive Behandlungsunterschied gegenüber sogenannten VIP's und anderen Personen.
14. *Keine Günstlingswirtschaft:*
   a) Gleichmäßig gerechtes Verhalten gegenüber allen
   b) Viel stärkeres Bemühen um Gerechtigkeit überhaupt.
15. *Versprechungen und Zusagen einhalten:*
   a) Zum eigenen Wort stehen
   b) Lieber ein Nein als ein Ja, das doch nicht gehalten wird.
16. Pünktlichkeit
17. *Durch Sitzordnung auszeichnen:*
   a) In Konferenzen
   b) In anderen Veranstaltungen
18. Schneller und besser informieren
19. *Mehr Selbständigkeit geben:*
   a) Wichtige Aufgaben übertragen
   b) Sich nicht laufend einmischen
   c) Dem Mitarbeiter Selbstverwirklichung ermöglichen
   d) An schwierigen Aufgaben wachsen lassen
20. Keinem Mitarbeiter das zumuten, was man nicht selber tun möchte.
21. Nicht die Probleme des Mitarbeiters als unwichtig herabmindern.
22. Mitarbeiter nicht tyrannisieren.
23. *Nicht autoritär führen, jedoch selbstverständlich mit Autorität:*
   a) Autorität durch eigene Kenntnisse
   b) Autorität durch eigene Leistung
   c) Autorität durch Loyalität
   d) Autorität durch Vormachen-Können
24. *An der Entscheidungsbildung mitwirken lassen:*
   a) Nicht nur pro forma
   b) Nicht den zu leicht erkennbaren Versuch machen, eigene Ideen den Mitarbeitern zu verkaufen, indem man sie als deren Ideen herausstellt (das wird seit 5 Jahren schon nicht mehr geglaubt).
25. *Mitarbeiter wissen lassen, wie sie beurteilt werden:*
   a) Emotionale Sicherheit geben
   b) Beurteilungsgespräche
   c) Karriere-Beratung
26. *Informationen über:*
   a) Ziele
   b) Grundsätze der Unternehmenspolitik
   c) Management-Aktionen

27. *Eindeutige Zuständigkeiten:*
   a) Klare Stellenbeschreibung
   b) Erteilung der notwendigen Kompetenzen
   c) Eindeutig festgelegte Befugnisse
   d) Eindämmung von Intrigen und Unterwasserkämpfen

28. *Es dem Mitarbeiter bequem machen:*
   a) Kenntnisse zu erwerben
   b) Informationen zu erfassen
   c) Seine Arbeit zu leisten

29. *Hilfe bei Überbeanspruchung geben:*
   a) Hindernisforschung für ihn betreiben
   b) Arbeit sammeln, und nicht an ihn übertragen, wenn er vor Arbeit nicht ein und aus weiß
      Die Zeit für die Erledigung der Arbeit ist doch nicht da. Sie wird nur gestapelt. Also besseres Timing für die Übergabe.

30. Mitarbeiter ermutigen.

31. Erfahrungsaustausch zwischen den Mitarbeitern verschiedener Abteilungen organisieren.

32. Brainstorming-Konferenzen

33. Die selbständige Führung von Verhandlungen überlassen.

6. Delegieren – mit mehr Erfolg!

A. Ihre Lage und Ihre Ziele

1. Wieviele Jahre sind sie bereits beruflich tätig?
2. Wieviele Jahre werden Sie voraussichtlich noch arbeiten?
3. Wieviel Prozent Ihrer gesamten beruflichen Tätigkeit liegt
   a) bereits hinter Ihnen?
   b) noch vor Ihnen?
4. Zu welchen Aufgaben kommen Sie überhaupt nicht oder viel zu wenig?
5. Welchen Aufgaben würden Sie sich endlich widmen können und wollen, wenn Sie einen Tag pro Woche mehr Zeit hätten?
   a) beruflich
   b) privat
6. Was würden Sie als einen gelungenen Durchbruch im zeitlichen Bereich bezeichnen – wieviele Stunden müßten Sie gewinnen für welche Aufgaben?
7. Was wäre Ihr idealer Zeitetat – Stunden pro Monat
   a) für welche Aufgaben?
   b) für welche Personen?
   c) für welche Projekte, die Sie sich vorgenommen haben?
8. Welche neuen Aufgaben sind in den letzten Jahren auf Sie zugekommen? Mit welchem Zeitbedarf?
9. Welche früheren Ausnahmetätigkeiten sind in den letzten Monaten oder Jahren zu Normalaufgaben von ihrem Umfang her für Sie geworden? Welche Zeit nehmen Ihnen diese Aufgaben ab?
10. Wann wollen Sie ein konkretes Projekt „Delegierung von Aufgaben" starten?
11. Welche Aufgaben würden Sie an andere übertragen, wenn Sie nur noch 40 Stunden pro Woche arbeiten dürften oder könnten?
12. Wegen welcher Hindernisse und Schwierigkeiten haben Sie bisher nicht mehr delegiert?
13. Welche konkreten Programme haben Sie bisher ablaufen lassen, um diese Hindernisse und Schwierigkeiten, die Ihren Delegier-Absichten entgegenstehen, zu beseitigen?
14. Auf welchen Gebieten können Sie aus Zeitmangel nicht so professionell arbeiten, wie Sie sich das wünschen würden?
15. Auf welchen Gebieten gefährden Sie sich durch Zeitmangel?
16. Was befürchten Sie im einzelnen, wenn Sie bestimmte Aufgaben, Verantwortung und Befugnisse delegieren?
   a) Verlust an Sicherheit
   b) Verlust an Einfluß
   c) Verlust an Prestige
   d) geringere Einnahmen
   e) weniger Praxiskontakt
   f) Verlust an praktischen Fertigkeiten

17. Was würde Ihnen der Zeitgewinn durch Delegierung bringen?
    a) höhere Erfolgsfähigkeit
    b) größeres Realisierungsvermögen
    c) die Möglichkeit sich mit neuen Gebieten zu beschäftigen
    d) mehr Zeit für die Zukunft
    e) mehr Zeit zum Lesen und für die eigene Weiterbildung
    f) die Möglichkeiten auf Gebieten außerhalb des ureigensten Fachgebietes professionell tätig zu werden
18. Was wäre endlich machbar, wenn Sie durch Delegieren mehr Zeit hätten? Was würden Sie durch den Aufgaben-„Verlust" auf der einen Seite an zeitlichem Realisierungs-Vermögen andererseits gewinnen?
19. Fassen Sie jetzt den Entschluß, ein konkretes, gründlich überlegtes Delegier-Programm durchzuführen! Es ist nicht zu früh, eher bereits recht spät!
20. Schreiben Sie sich zuerst die Aufgaben auf, die Sie auf gar keinen Fall an andere übertragen wollen.
21. Welchen Aufgaben wollen Sie zukünftig mehr Zeit zuwenden?
22. Welchen Aufgaben wollen Sie zukünftig weniger Zeit zuwenden?
23. Welche Aufgaben wollen Sie zukünftig nicht mehr selber erledigen?
24. Welche Teile einzelner Aufgaben wollen Sie zukünftig nicht mehr selber erledigen?
25. Auf welche großen, kompletten Aufgabenbereiche müssen Sie – zu Ihrem größten Bedauern – nun eben doch verzichten? Womit können Sie sich in Ihrem weiteren Berufsleben leider nicht mehr beschäftigen? Für welche Aufgabenbereiche reicht die Zeit nicht mehr aus?
26. Arbeiten Sie eine konkrete Delegier-Liste aus.

B. Schaffen Sie die Voraussetzungen, damit Sie erfolgreich delegieren können

1. Legen Sie schriftlich fest, was Sie an andere übertragen wollen.
2. Umreißen Sie die einzelne Aufgabe genau – halten Sie die Arbeiten fest, die dazugehören.
3. Legen Sie die Verantwortung – die Aufsichtspflicht – die der Empfänger der Aufgabe übernimmt, schriftlich fest.
4. Welche Befugnisse braucht der Empfänger der Aufgabe –
    a) sachliche Befugnisse – was darf er selber entscheiden?
    b) finanzielle Befugnisse?
    c) personelle Befugnisse?
5. An wen sollen welche Aufgaben übertragen werden?
6. Was kann von vorhandenen Mitarbeitern übernommen werden?
7. Wie sind die vorhandenen Mitarbeiter vorher selber zu entlasten?

8. Welche Qualifikation ist bei diesen Mitarbeitern erst einmal zu schaffen –
   a) Einstellung?
   b) Kenntnisse?
   c) konkretes Können?
9. Für welche Aufgaben sind neue Mitarbeiter einzustellen?
   a) was kosten sie – was bringen sie?
   b) Kosten-Nutzen-Analyse?
10. Ab wann können welche Aufgaben an wen übertragen werden?
11. Erarbeiten Sie gemeinsam ein Entlastungsprogramm für die Mitarbeiter, an die sie Aufgaben übergeben wollen –
   a) von welchen Aufgaben müssen diese Mitarbeiter selber befreit werden?
   b) was wollen Sie zukünftig selber tun oder unterlassen, um diese Mitarbeiter weniger zu belasten?
12. Investieren Sie genügend Zeit – anders geht es nicht – um den betreffenden Mitarbeiter in seine neue Aufgabe einzuarbeiten.
13. Geben Sie ihm eine ausreichend intensive Anfangsunterstützung –
   a) wann arbeiten Sie zusammen?
   b) wann werden Sie was besprechen?
   c) welche Hilfestellung werden Sie ihm geben?
   d) welche Berichterstattung in welcher Form verlangen Sie?
14. Besprechen Sie mit dem Mitarbeiter das, was Sie unter einer professionellen Aufgabenerfüllung verstehen –
   a) zu erreichende Ziele – Ergebnisse
   b) Qualitäts-Maßstäbe – Merkmale professioneller Leistung
   c) erforderliche Arbeitsweise
   d) zu berücksichtigende relevante Faktoren
15. Geben Sie dem Mitarbeiter Checklisten mit relevanten Faktoren, die er bei seiner Arbeit zu berücksichtigen hat.
16. Geben Sie dem Mitarbeiter Zusammenstellungen von Risikofaktoren, auf die er bei der Erledigung der übertragenen Aufgaben besonders achten muß.
   Was muß von seiten des Mitarbeiters zur Fehlervermeidung besonders sorgfältig bedacht oder getan werden?
17. Der Mitarbeiter soll mit größtem Nachdruck erfahren, was in seinem Aufgabengebiet alles passieren kann und wo die größten Risikofaktoren liegen.
18. An welche Grundsatzentscheidungen soll sich der Mitarbeiter halten?
19. An welche Arbeitsrichtlinien?
20. Welchen Leistungsstandard erwarten Sie?
21. Teilen Sie allen anderen, mit denen er zusammenzuarbeiten hat, seine Kompetenzen mit. Die anderen sollen ihm nicht die Arbeit erschweren.
22. Welche Aufträge darf er an wen geben – wen darf er wozu veranlassen?
23. Welche Informationen soll er zukünftig laufend von Ihnen bekommen?
24. Welche Informationen verlangen Sie von ihm?

25. Zu welchen festen Terminen werden zwischen Ihnen und diesem Mitarbeiter Besprechungen stattfinden?
26. Wie möchten Sie über Ausnahmen und Sonderfälle unterrichtet werden?

C. Ihr Verhalten, nachdem Sie delegiert haben

1. Halten Sie sich zurück – mischen Sie sich nicht ein.
2. Erteilen Sie keine unerbetenen Ratschläge – bevormunden Sie nicht – belehren Sie nicht – verteilen Sie nicht laufend väterliche Tips!
3. Verweigern Sie die Zurücknahme delegierter Aufgaben.
4. Lassen Sie ihn selber zu Lösungen und Vorschlägen kommen – fragen Sie mehr, antworten Sie weniger – beantworten Sie Fragen mit Gegenfragen.
5. Geben Sie dem Mitarbeiter einen Wohlwollensvorschuß, wenn er beginnt mit eigenen Methoden zu arbeiten. Vielleicht sind diese Methoden gar nicht so schlecht!
6. Spenden Sie Anerkennung.
7. Bedanken Sie sich für seinen Einsatz und seine Leistungen.
8. Machen Sie seinen Erfolg für ihn selbst und für andere sichtbar.
9. Zeigen Sie gegenüber Dritten, welche Wertschätzung Sie diesem Mitarbeiter entgegenbringen. Je mehr ein Dritter sieht, wie Sie diesen Mitarbeiter schätzen, umsomehr wird er gerne direkt mit ihm zusammenarbeiten. Sie selber sparen Zeit!
10. Kritisieren Sie weniger Fehler in der Vergangenheit und in der Gegenwart. Geben Sie lieber konkrete Hinweise, wie solche Fehler in der Zukunft vermieden werden können.
11. Haben Sie mehr Geduld.
12. Seien Sie verständlich und präzise bei Ihren Erklärungen.
13. Ermuntern Sie den anderen. Zeigen Sie ihm, daß Sie Vertrauen zu ihm haben. Erhöhen Sie sein Selbstbewußtsein. Arbeiten Sie nach dem Grundsatz der positiven Verstärkung.
14. Sagen Sie ihm, was er besonders gut gemacht hat.
15. Zeigen Sie ihm Weiterbildungsmöglichkeiten.
16. Benutzen Sie einen Teil der durch Delegierung an ihn gewonnenen Zeit für Gespräche mit diesem Mitarbeiter.

7. Erfolgreiche Auftragserteilung

1. Führen ist Realisieren durch den Einsatz anderer.
2. Mit der Güte Ihrer Auftragserteilung sorgen Sie dafür, daß ein anderer diesen Auftrag rationell und erfolgreich erledigen kann.
3. Bereiten Sie sich besser auf die Auftragserteilung vor.
4. Ist der Auftrag überhaupt erforderlich?
5. Wissen Sie selber genau, was Sie wollen?
6. Notieren Sie sich Stichworte für den Auftrag.
7. Formulieren Sie einen wichtigen Auftrag schriftlich.
8. Wer soll den Auftrag erledigen?
9. Was soll erreicht werden?
10. Warum?
11. Auf welche Weise?
12. Wann – bis wann?
13. Denken Sie alle Einzelheiten durch.
14. Stümpern Sie den Auftrag nicht erst während des Auftragserteilungs-Gespräches zusammen.
15. Beginnen Sie das Auftragsgespräch möglichst erst dann, wenn Sie sich selber über den Auftrag klar sind.
16. Legen Sie die Unterlagen dafür bereit.
17. Nehmen Sie nicht wegen jeder einzelnen Sache Kontakt auf. Sammeln Sie die Vorgänge.
18. Der gefährdete Dynamiker greift wegen jeder einzelnen Sache zum Telefon oder erscheint selber.
19. Der gefährdende Ideenreiche bringt die ganze Organisation durcheinander. Kaum hat er eine Idee, geht er auf Wanderschaft. Immer wieder taucht er mit einer neuen Idee auf. Die alten sind natürlich inzwischen längst vergessen.
20. Mehr Disziplin in der Kontaktaufnahme! Keine zu schnelle überstürzte Kontaktaufnahme. Keine emotional verursachte Kontaktaufnahme. Kein Kontakt zum falschen Zeitpunkt. Mitarbeiter weniger stören! Mehr Vorkontrolle.
    Nicht laufend am Telefon. Nicht laufend unterwegs.
21. Festes zeitliches Schema für Gespräche – Fixtermine und Sprechzeiten. Sperrstunden.
22. Nicht laufend reden, mehr handeln!
23. Nicht der Arbeit entfliehen durch die Möglichkeit zu telefonieren oder Besuche zu machen.
24. Nicht die anderen verrückt machen durch einen Einfall nach dem anderen.
25. Ordnen Sie die zu gebenden Aufträge in der Reihenfolge ihrer Wichtigkeit.

26. Je besser Sie vorbereitet sind, um so weniger
   a) entstehen lange Diskussionen
   b) verzetteln Sie sich
   c) kommt Konfusion zustande
   d) wird die Auftragserteilung erfolglos abgebrochen.

27. Nennen Sie bei der Auftragserteilung den Erledigungstermin.

28. Sagen Sie, in welcher Reihenfolge Aufträge zu erledigen sind, wenn Sie mehrere auf einmal erteilen.

29. Nennen Sie das erwünschte Ergebnis.

30. Sprechen Sie ruhig, eindeutig und verständlich.

31. Verdeutlichen Sie, wie wichtig und dringend der Auftrag ist.

32. Prüfen Sie, ob Ihr Auftrag verstanden wurde
   a) stellen Sie Fragen
   b) lassen Sie sich das Wichtigste kurz wiederholen.

33. Ein Auftrag ohne Termin ist kein Auftrag. Zu jedem wichtigen Auftrag gehört eine Erledigungs-Kontrolle.
   Ihre Sekretärin kann dabei helfen. Sie kann eine Erledigungs-Kontrollkartei führen. Diese funktioniert so – der Mitarbeiter erhält eine kurze Auftrags-Notiz. Sie behalten

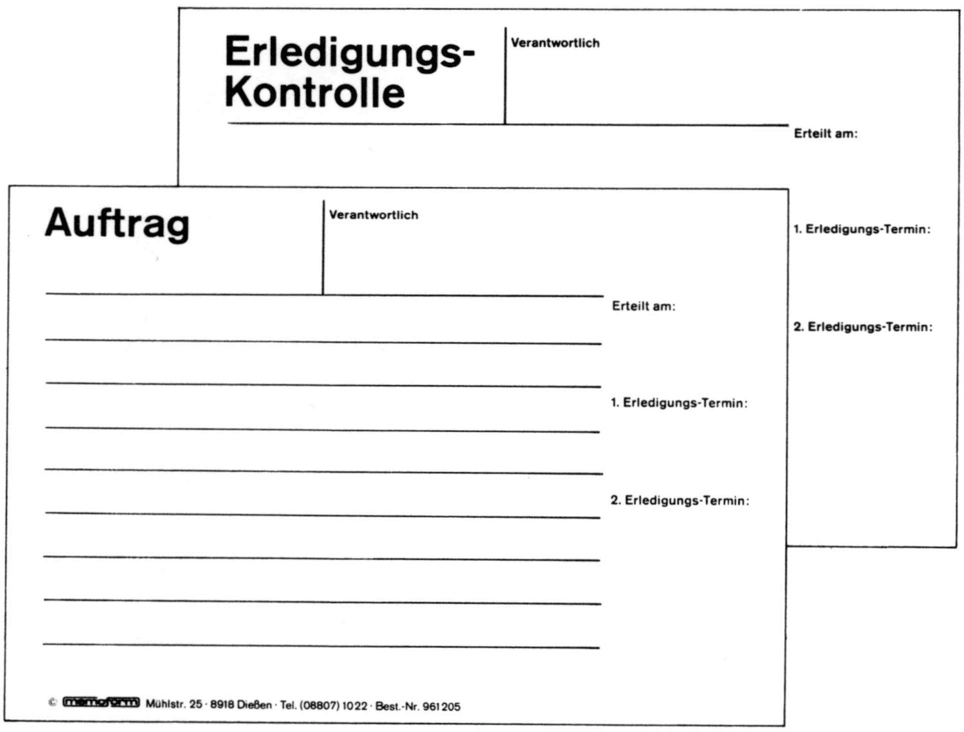
Erledigungs-Kontrolle
Verantwortlich
Erteilt am:
1. Erledigungs-Termin:
2. Erledigungs-Termin:

Auftrag
Verantwortlich
Erteilt am:
1. Erledigungs-Termin:
2. Erledigungs-Termin:
© memoform Mühlstr. 25 · 8918 Dießen · Tel. (08807) 1022 · Best.-Nr. 961205

eine Kopie. Diese Kopie kommt in die Erledigungs-Kontrollkartei und wird hinter der Leitkarte mit dem vorgesehenen Erledigungstermin abgestellt.
Sie können den Auftrag vergessen, ohne daß er vergessen wird. Zum gewünschten Erledigungstermin werden Sie automatisch durch Ihre Erledigungskartei daran erinnert.

34. Bei kleineren Aufträgen können Sie auf dieses System verzichten und den Mitarbeiter um eine einfache Erledigungsmeldung bitten.

35. Eine Erledigungsmeldung ist ein wichtiger Bestandteil der Kommunikation. Wer einen Auftrag erteilt, sollte nicht zum ständigen Rückfrager degradiert werden.
Es kann nicht seine Aufgabe sein, jeden Auftrag im Kopf zu behalten und immer wieder mit der Frage kommen zu müssen „wie weit sind Sie eigentlich mit...?".
Wer einen Auftrag erhalten hat, ist verpflichtet ohne ständige Erinnerung eine Erledigungsmeldung oder einen Zwischenbescheid zu geben.

8. Kritik und Fehlerbehandlung

A. Grundsätze

1. Kritik soll aufbauen, verändern und in der Zukunft bessere Verhaltensweisen und Ergebnisse bringen.
2. Die Aufgabe der Kritik besteht nicht darin, über die Vergangenheit und die Gegenwart Klagegesänge anzustimmen.
3. Negative Kritik bringt sehr wenig.
   Die meisten der negativ Kritisierten ziehen sich sofort in eine Verteidigungsstellung zurück und bauen die Basis für einen Gegenschlag auf.
4. Jemand der sagt, er höre gerne ein kritisches Wort, meint ausschließlich positive Kritik.
5. Menschen, die berüchtigt sind für die Härte ihrer Kritik, vertragen selber überhaupt keine.
6. Ständige negative Kritik zerstört die Schaffensfreude, die Leistungsfähigkeit und lähmt jegliche Initiative.
7. Kämpfen Sie um die Unterlassung jeder negativen Bemerkung, die doch keine Veränderung zustande bringt.
8. Kritisieren Sie niemals jemanden, während er unter Druck ist oder gerade eine energieraubende Kraftarbeit hinter sich hat. Gönnen Sie ihm eine Erholungspause. Sprechen Sie erst dann mit ihm über notwendige Veränderungen.
9. Besprechen Sie Fehler und Mängel sachlich.
10. Keine Ironie und kein Sarkasmus!
11. Führen Sie ein kritisches Gespräch unter vier Augen.
12. Kritisieren Sie keine Abwesenden.
13. Kommentieren Sie weniger den Vorfall. Sprechen Sie mehr darüber, wie Vorfälle dieser Art in der Zukunft ausgeschaltet werden können.
14. Teilen Sie dem Kritisierten mit, welche Unterstützung er für die Zukunft von Ihnen bekommen wird, um bessere Leistungen zustande zu bringen.
15. Halten Sie nach einem wichtigen Kritikgespräch das Ergebnis der gemeinsamen Besprechung schriftlich fest.
16. Die Strukturierung eines Kritikgespräches könnte so aussehen:
    a) dies ist passiert
    b) dies waren die Ursachen
    c) dieser Schaden ist entstanden
    d) folgendes erwarte ich von Ihnen zukünftig im einzelnen
    e) auf diese Weise können Sie das erreichen
    f) diese Vorteile werden wir haben, wenn solche Fehler nicht mehr vorkommen
    g) dies ist die Unterstützung, die wir geben werden, um Fehler und Mängel dieser Art zukünftig auszuschalten.

B. Nutzlose Kritik – Formulierungen

1. Sie hätten mich aber vorher fragen müssen!
2. Sie hätten selber wissen müssen!
3. Sie hätten selber merken können!
4. Sie hätten bedenken müssen!
5. Sie hätten nicht vergessen dürfen!
6. Sie hätten berücksichtigen müssen!
7. Von Ihnen habe ich nichts anderes erwartet!
8. Darauf warte ich schon seit Monaten!
9. Das hätte ich Ihnen vorher sagen können!
10. Habe ich Sie nicht immer wieder gewarnt!
11. Jetzt haben wir also den Salat!
12. Jetzt ist es also so weit!
13. Genau das habe ich kommen sehen!
14. Wenn ich Sie so ansehe!
15. Sie wissen es offenbar nicht besser!
16. Sie können es offenbar nicht besser!

Wirksamer:
Lassen Sie uns bitte zukünftig folgendes tun... berücksichtigen...

C. Vorgehensweise für die Besprechung eines Fehlers

1. Was ist passiert?
2. Was ist wirklich passiert?
3. Welche Folgen haben sich bisher ergeben?
4. Welche Folgen können sich noch ergeben?
5. Was muß sofort unternommen werden, um eine stärkere Auswirkung des Fehlers zu vermeiden?

6. Warum ist dieser Fehler passiert – wo liegen die Ursachen?
   – mangelhafte Informierung?
   – mangelhafte Zusammenarbeit?
   – falsche Festlegung von Aufgaben, Befugnissen oder Verantwortung?
   – unzweckmäßiger Arbeitsablauf?
   – unzureichende Kontrolle?
   – fehlende oder unzweckmäßige Arbeitsanweisungen?
   – schlechte Auftragserteilung?
   – mangelnde Kennzeichnung?
   – mangelnde Ordnung und Übersicht?
7. Was ist zu veranlassen, um die Ursachen für den Fehler aus der Welt zu schaffen und abzusichern, daß Fehler dieser Art zukünftig nicht wieder vorkommen?

9. Erfolgreich Veränderungen einführen

A. Mitarbeiter fragen sich, wenn Veränderungen auf sie zukommen:

1. Wird meine Position gefährdet?
2. Wird meine Position beeinträchtigt?
3. Wird mein Aufstiegsweg behindert oder blockiert?
4. Verliere ich Status-Symbole?
5. Verliere ich wichtige Kontakte?
6. Verliere ich Informationsmöglichkeiten?
7. Verliere ich Befugnisse?
8. Verliere ich Sicherheit?
9. Muß ich mehr arbeiten?
10. Wird es schwerer, die mir gesetzten Ziele zu erreichen?
11. Werden Mängel bei mir erkannt?
12. Wird meine bisherige Tätigkeit schlechter beurteilt?

B. Sie können leichter Veränderungen einführen, wenn Sie...

1. die betroffenen Mitarbeiter die Veränderung so früh wie möglich mitplanen und mitgestalten lassen
2. die Unabdingbarkeit der Veränderung mit Beweisen verdeutlichen
3. die bewirkten Vorteile demonstrieren
4. die im Zusammenhang mit der Veränderung möglichen Schwierigkeiten selber deutlich nennen
5. die Erfolge früherer Veränderungen darstellen
6. Überraschungen vermeiden
7. das von einer Organisation verkraftbare Volumen an Veränderungen berücksichtigen und entsprechend Prioritäten setzen
8. auf alles Unnötige verzichten
9. Zugeständnisse machen, wenn der notwendige Kern der Veränderung dadurch nicht beeinträchtigt wird
10. selber über den Inhalt der Veränderung genauestens Bescheid wissen, so daß jede Mitarbeiter-Frage präzise und geduldig beantwortet werden kann
11. den Zeitpunkt besser wählen
12. sich selber auf die Präsentation der Veränderung gründlich vorbereiten. Visuelle Hilfsmittel dabei benutzen.

1. *Bestimmen Sie nicht fahrlässig die Tagesordnung Ihres Chefs...*
   a) indem Sie sofort bei Betreten des Chefbüros angeben, was alles erledigt werden sollte,
   b) der Chef hatte sich vielleicht gerade vorgenommen, etwas ganz anderes zu erledigen,
   c) nun besteht die Gefahr, daß er sich durch die von der Chef-Sekretärin geäußerten Punkte nur zu leicht von seiner Arbeitsplanung abbringen läßt,
   d) belasten Sie den Chef nicht damit, daß Sie ihn laufend daran erinnern, was noch alles zu erledigen ist. Wenn es zu viel ist, verliert er zu leicht die Kraft, überhaupt anzufangen.
2. *Sprunghaftigkeit* – Hin und Her
   a) helfen Sie dabei mit, daß sich der Chef auf *eine* Sache konzentrieren kann
   b) nicht von Thema zu Thema springen
   c) keine ablenkenden Zwischenbemerkungen
   d) keine fahrlässige Erwähnung anderer Themen während eines Diktates
   e) konsequent beim anstehenden Thema bleiben
   f) *eine* Sache nach der anderen erledigen.
3. *Kontakte*
   a) nicht wegen jedes einzelnen Vorfalles mit dem Chef Kontakt aufnehmen
   b) Vorfälle und Arbeiten sammeln
   c) gebündelt vortragen und behandeln
   d) selber vorher die Reihenfolge der Wichtigkeit festlegen.
4. *Vorbereitung auf das Gespräch mit dem Chef*
   a) dem Chef das Treffen von Entscheidungen erleichtern
   b) welche Unterlagen sind erforderlich, damit er eine Entscheidung fällen kann?
   c) vor dem Gespräch diese Unterlagen beschaffen
   d) gut ordnen
   e) übersichtlich präsentieren
   f) ein Gespräch soll zu einer Entscheidung führen. Es soll mehr bringen als nur den Auftrag, erst einmal Unterlagen zu beschaffen.
   g) die vorbeugende Materialbeschaffung durch die Chef-Sektretärin = Basis für schnellere Entscheidungen.
5. *Verzögeritis*
   a) helfen Sie dabei mit, daß Entscheidungen nicht verzögert werden
   b) versuchen Sie, Entscheidungen zu bekommen für das, was wirklich entscheidbar ist
   c) tragen Sie dazu bei, daß eine Angelegenheit bis zu einem Ergebnis besprochen wird
   d) kämpfen Sie gegen die Verzögeritis.
6. *Grundsatzentscheidungen*
   a) für welche Geschäftsvorfälle muß Ihr Chef immer wieder eine Einzelentscheidung liefern?
   b) machen Sie Vorschläge für Grundsatzentscheidungen. Stellen Sie eine Liste auf: „Längst fällige Grundsatzentscheidungen!"

7. *Ablenkung*
   a) viele Chefs sind ablenkbar
   b) viele Chefs schalten sehr schnell
   c) ein Wirbel von Gedanken belastet sie
   d) helfen Sie mit, alles auszuschalten, was zur Ablenkung und Verzögeritis führt
   e) sichern Sie Ihrem Chef störarme Stundenblocks
   f) erhalten Sie Ihrem Chef die Verfügungsgewalt über seine Zeit
   g) verteidigen Sie die Zeit Ihres Chefs noch intensiver
   h) lassen Sie sich nicht durch die Massivität oder den Charme bestimmter Personen dazu bringen, Ihnen mehr Chef-Zeit zuzuordnen, als von der Sache her angemessen ist.

8. *Ordnung*
   a) schaffen Sie im Büro mustergültige Ordnung
   b) deklarieren Sie alles gut
   c) der selbst auf Suche gehende Chef muß alles, was er sucht, auf Anhieb finden können.

9. *Überflüssiges*
   a) befreien Sie das Büro von Ballast
   b) Ballast verhindert, daß man das Wesentliche auf Anhieb sieht
   c) unnötiges Material weg – Ballast-Befreiungs-Aktion – im Zweifel folgende Fragen:
      – wurde es bisher gebraucht?
      – wird es in Zukunft gebraucht werden?
      – wenn nicht – weg damit!

10. *Übersicht und freie Arbeitsflächen*
   a) schaffen Sie diese im Chef-Büro
   b) sorgen Sie dafür, daß im Gesichtskreis des Chefs nur Dinge liegen, die gerade erledigt werden müssen
   c) er sollte nicht dadurch belastet werden, daß er ständig einen Berg von noch zu erledigenden Aufgaben vor sich sieht
   d) der entscheidende Erfolgsgrundsatz der Arbeitstechnik: eines nach dem anderen, und währenddessen das andere aus dem Blickfeld.

11. *Wenn der Chef verreist war*
   a) und gerade wieder ins Büro zurückkehrt – schirmen Sie ihn für einige Stunden ab
   b) es soll ihm möglich sein, selber für inzwischen angefallene Arbeiten Prioritäten zu bestimmen
   c) er muß die Reihenfolge für die Erledigung selber bestimmen können
   d) sie darf sich nicht ungeplant und wahllos ergeben.

12. *Wenn der Chef Aufträge erteilt*
   a) aktiv und konzentriert zuhören
   b) Aufträge wiederholen, um abzusichern, daß man verstanden hat
   c) bei mehreren Aufträgen die gewünschte Reihenfolge für die Erledigung nennen lassen
   d) Erledigungs-Termine bei Einzelaufträgen geben lassen.

13. *Erledigungsmeldungen an den Chef*
   a) jede Sekretärin erhält von ihrem Chef im Laufe des Tages eine Vielzahl von Aufträgen zur Erledigung
   b) diese Aufträge fallen dem Chef immer wieder ein
   c) er fragt sich und er fragt seine Sekretärin, ob die Sache schon erledigt ist
   d) er kann zum permanenten Rückfrager werden
   e) für beide Teile kann die Zusammenarbeit erleichtert werden durch eine einfache Erledigt-Meldung, die die Sekretärin dem Chef auf den Schreibtisch legt
   f) damit gewährleistet: die Organisation des Feed-back.

An:

Erledigt !!

Was:

DATUM

Unterschrift

© memoform · 8 München 50 · Ehrenbreitsteiner Str. 36 · Tel. 1417495 · Best.-Nr. 961025

14. *Den Chef erinnern*
mit dem „Nicht vergessen“ – Formular:

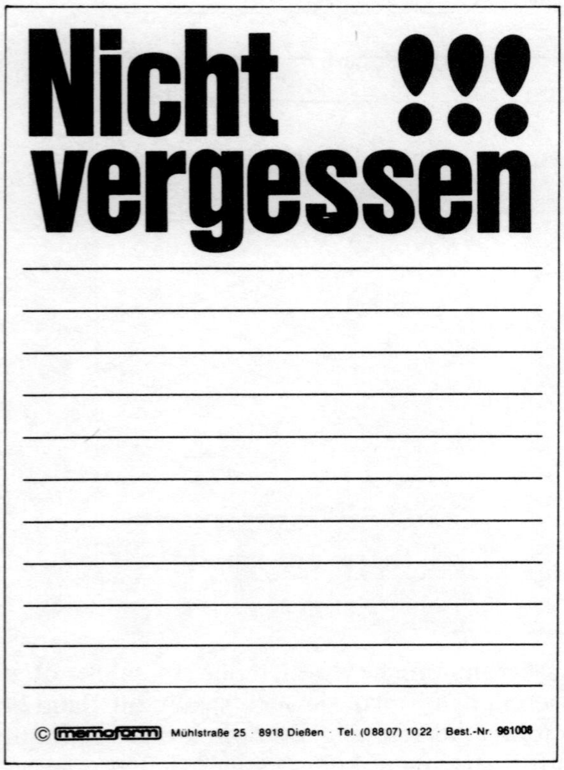
Nicht !!!
vergessen

© memoform Mühlstraße 25 · 8918 Dießen · Tel. (08807) 1022 · Best.-Nr. 961008

15. *Wer wollte etwas vom Chef?*
a) wer hat angerufen?
b) wer war da?
c) der Chef muß vernünftig und schnell reagieren können
d) die Informationen über Besucher oder Anrufer müssen komplett sein:

An

Datum Uhrzeit

WAS WAR INZWISCHEN?

Herr/Frau/Frl.

von

Telefon

rief an erbittet Rückruf

war hier ruft wieder an

Unterschrift

© memoform Mühlstraße 25 · 8918 Dießen · Tel. (08807) 10 22 · Best.-Nr. 961209

16. *Telefonnummern*
  a) wird eine bestimmte Telefonnummer wirklich nur einmal benötigt?
  b) im Zweifel sofort notieren, damit man sie auch später zur Hand hat
  c) bei neuen Kontakten sofort Adresse und Telefonnummer festhalten
  d) der Chef muß diese Information auf Anhieb selber finden.

17. *Akustisches Firmengesicht*
  a) liebenswürdiges und freundliches Telefonverhalten
  b) keine Stimme, die nur aus einem Pokerface kommen kann
  c) keine gedehnte Stimme
  d) keine abwertende Tonlage
  e) studieren: „*Fehler und Mängel beim Telefonieren*"
  f) höflich, dynamisch und hilfsbereit am Telefon
  g) kein Klassenbewußtsein bei der Anrufer-Behandlung
  h) Fröhlichkeit in der Stimme
  i) man muß das Gefühl haben, daß die Firma noch sehr lange erfolgreich und jugendlich leben wird.

18. *Versprochene Rückrufe*
  a) unbedingt einhalten
  b) bekannt sein für Zuverlässigkeit
  c) dafür sorgen, daß der Chef wirklich zurückruft
  d) die Verläßlichkeit organisieren.

19. *Nachrichten für den Chef*
   a) kurz, knapp, präzise und umfassend geben
   b) keine Gärtnerarbeit mit rankendem Beiwerk
   c) Konzentration auf das Wesentliche
   d) nicht vom Hundertsten ins Tausendste kommen.
20. *Bei starker Belastung*
   a) eine Sache nach der anderen
   b) Pause zum Innehalten und Planen
   c) die Reihenfolge der Wichtigkeit festlegen
   d) nicht die Nerven verlieren.
21. *Gelbstifte*
   Wichtiges in Unterlagen und Briefen gelb überstreichen.
22. *Korrespondenz*
   a) makellos – keine Kompromisse
   b) häufiger im Duden nachschlagen
   c) falls bei der Zeichensetzung Schwierigkeiten – dieses Thema einmal richtig studieren
   d) Briefstil
   e) Richtigkeit des Inhalts
   f) empfangene Briefe genau lesen und alle Punkte beantworten
   g) präzise Auskünfte – keine vagen Mitteilungen
   h) bei Zweifel, ob der Brief so hinauszuschicken ist – unbedingt noch einmal schreiben
   i) bei Versand von Unterlagen: besser verpacken
   j) Portobedingungen genau kennen – nicht nach Gefühl frankieren
   k) Zwischenbescheide geben, wenn der Chef verreist ist.
23. *Aufschreiben*
   a) sofort
   b) das Gedächtnis ist immer weniger gut als man es wünscht
   c) es dringt zu viel Verschiedenes auf einen ein
   d) Ideen des Chefs in einer Ideen-Kartei festhalten.
24. *Terminüberwachung*
   a) besser organisieren
   b) vom Chef selbst mit anderen vereinbarte Termine schnellstens von ihm nennen lassen.
25. *Mehr handeln*
   a) weniger reden
   b) keine Verzögeritis
   c) erledigen Sie es sofort.
26. *Die eigene Sprache*
   a) gepflegt
   b) diszipliniert
   c) freundlich.

27. *Verschwiegenheit*
   a) nichts Vertrauliches weitererzählen
   b) nicht die Führung des innerbetrieblichen Nachrichtenwesens übernehmen
   c) nicht kreativ an der Klatsch-Produktion und -Distribution mitarbeiten
   d) nichts Vertrauliches im Büro offen herumliegen lassen.

28. *Der Umgang mit anderen*
   a) nicht die eigene Position ausnutzen
   b) hilfsbereit und liebenswürdig
   c) außerordentlich höflich
   d) mehr Bitte, mehr Danke
   e) studieren, was man als Chef-Sekretärin für die Verbesserung des Betriebsklimas tun könnte.

29. *Teamarbeit*
   a) mit anderen wirklich zusammenarbeiten
   b) nicht als Allein-Herrscherin tätig sein
   c) zuvorkommend und galant
   d) Besucher, die der Chef gerade nicht empfangen kann, abweisen können, ohne sie zu verletzen
   e) den anderen dabei helfen, zuverlässig zu sein
   f) eigene Zusagen einhalten – pünktlich sein
   g) überdurchschnittlich hilfsbereit sein.

30. *Besserwisserei*
   a) nicht alles besser wissen als andere
   b) nicht laufend andere korrigieren
   c) auch der Chef hat nur ein begrenztes Aufnahmevermögen für Belehrungen und kritische Anmerkungen.

31. *Schlechte Nachrichten*
   a) dem Chef keine schlechten Nachrichten zum unpassendsten Zeitpunkt mitteilen
   b) mehr Psychologie beim Timing.

32. *Kassandra*
   a) nicht auf alles hinweisen, was passieren könnte
   b) keine kontinuierliche Schwarzmalerei
   c) mehr Fröhlichkeit und Optimismus
   d) dem Chef die Laune erhalten
   e) auch ein Chef braucht Ermunterung
   f) nicht mürrisch durch die Landschaft klappern
   g) mehr Begeisterung für die Erfolge des Chefs und der Firma.

33. *Die eigene Vertretung*
   a) dafür sorgen, daß das Sekretariat während der eigenen Abwesenheit reibungslos funktioniert
   b) gute Einarbeitung einer Stellvertreterin
   c) Checklist für deren Verhalten ausarbeiten – Informationsliste für Stellvertreterin.

Teil 4: Ergiebige Konferenzen

Inhaltsverzeichnis

1. Konferenzen vorbereiten

A. Die Rechtfertigung der Konferenz

1. Ist unbedingt eine Konferenz erforderlich oder ließe sich das Kommunikationsziel wirkungsvoller, zeitsparend und kostengünstiger erreichen durch
   a) sehr gut vorbereitete Telefonate
   b) Einzelgespräche?
   c) schriftliche Kommunikation?
2. Läßt sich die Konferenz rechtfertigen
   a) vom Gegenstand her?
   b) Von den erreichbaren Ergebnissen?
   c) Vom Zeitbedarf?
   d) Von den Kosten?
   e) Von den Erfahrungen früherer Konferenzen?
3. Welche Art von Konferenz ist es?
   a) Planungs-Konferenz
   b) Präsentation von Ergebnissen
   c) Präsentation von Entschlüssen und geplanten Maßnahmen
   d) Motivierungs-Konferenz
   e) Ideengewinnungs-Konferenz
   f) Erfahrungsaustausch-Konferenz
   g) Problemlösungs-Konferenz
   h) Chancennutzungs-Konferenz.

B. Die Ziele der Konferenz

1. Welches sind die Ziele der Konferenz? Was soll am Ende der Konferenz im einzelnen erreicht sein?
2. Welche Probleme sollen gelöst sein?
3. Für welche Chancen sollen die Methoden und Werkzeuge zu ihrer Nutzung erarbeitet worden sein?
4. Was soll im einzelnen bei jedem Teilnehmer bekannt sein?
5. Wofür soll jeder Teilnehmer gewonnen worden sein?
6. Was soll er nach der Konferenz anders machen als bisher?
7. Was soll begonnen werden können?
8. Wofür sollen die Entscheidungen gefallen sein?

C. Themen – Gliederung der Konferenz – Zeitplan

1. Welche Themen sollen behandelt werden?
2. Wieviel Zeit ist für das einzelne Thema erforderlich?
3. Wie lange soll die Konferenz dauern?
4. Welche Themen lassen sich also nur schaffen?
   a) Seien Sie realistisch bei der Beurteilung.
   b) Es kommt nicht darauf an, wie viele Themen Sie anreißen, sondern wie viele Themen zu einem Ergebnis geführt werden.
   c) Weniger ist mehr. Weniger bringt mehr!
   d) Weniger Anfänger sein, mehr Realisierer!
5. Wie sieht also die Themenliste aus?
6. Skizzieren Sie den Verlauf der Konferenz.
   In welcher Reihenfolge sollen die einzelnen Themen behandelt werden?
7. Wieviel Zeit bekommt das einzelne Thema?
   a) Zu welchem Zeitpunkt wird in der Konferenz mit diesem Thema begonnen? (Genaue Zeit angeben)
   b) Zu welchem Zeitpunkt wird dieses Thema beendet?

D. Die Konferenzteilnehmer und ihre Aufgaben

1. Wer wird die Konferenz leiten?
2. Wer führt das Protokoll?
3. Wer arbeitet das Konferenzergebnis aus?
4. Welche Personen müssen an der Konferenz teilnehmen?
5. Welcher Konferenzbeitrag wird vom einzelnen Teilnehmer erwartet? Warum im einzelnen ist dieser Teilnehmer für die Konferenz wichtig?

E. Termin – Ort?

1. Wann soll die Konferenz stattfinden?
2. Zu welcher Tageszeit?
3. Wieviele Stunden soll sie dauern?
4. Ließe sich der Konferenzzweck auch in einer kürzeren Zeit erreichen?
   a) Welche Vorbereitung wäre hierfür erforderlich?
   b) Welches Konferenzverhalten wäre nötig?
5. Sind die gewünschten Konferenzteilnehmer zum ausgewählten Termin verfügbar oder haben sie längst andere Verpflichtungen für diesen Termin übernommen?

6. Welche anderen Aktivitäten leiden darunter, wenn die Konferenz ausgerechnet zu diesem Termin stattfindet?
7. Wo soll die Konferenz stattfinden?
8. Welcher Raum eignet sich am besten?

F. Die Vorabinformierung der Konferenzteilnehmer

1. Wann sind die Konferenzteilnehmer spätestens über den Termin und den Zweck der Konferenz zu informieren?
2. Welche Informationen müssen Sie vor der Konferenz bekommen, um in der Konferenz etwas leisten zu können?
3. Welches Basismaterial haben Sie vorher zu studieren?
4. Welche organisatorischen Hinweise müssen Sie erhalten?
   a) Termin
   b) Zeiten
   c) Ort

G. Die Konferenzvorbereitung des einzelnen Konferenzteilnehmers

1. Was hat jeder Teilnehmer vorher zu studieren?
2. Wer hat was im einzelnen vorzubereiten?
3. Was hat der einzelne Konferenzteilnehmer mitzubringen?
4. Wer gibt ihm den Vorbereitungsauftrag?
5. Wer hat welche Aufgaben in der Konferenz zu übernehmen?
6. Wer hat was zu präsentieren?
7. Wer hat was versprochen vorzubereiten?
   Wird er sein Versprechen einhalten?
   Wer ruft ihn frühzeitig an, um ihn an sein Versprechen zu erinnern?
8. Was hat der Konferenzleiter selber vorzubereiten?
9. Welches Material will der Konferenzleiter an die Konferenzteilnehmer aushändigen:
   a) zu Beginn der Konferenz
   b) während der Konferenz
   c) am Ende der Konferenz
   d) nach der Konferenz?
10. Welches Material ist für eine visuelle Präsentation vorzubereiten?
11. Welche schriftlichen Unterlagen hat jeder Konferenzteilnehmer für Notizen während einer visuellen Präsentation zu erhalten?
12. Was hat der Protokollführer zu studieren, um sich mit der Materie vor der Konferenz vertraut zu machen, um der Konferenz besser folgen zu können und die Bedeutung der einzelnen Beiträge besser zu erkennen?

13. Welche Fragen von Konferenzteilnehmern sind vor der Konferenz zu beschaffen?
14. Für welche erwarteten Fragen ist Antwortmaterial vorzubereiten?
15. Für welche Schwierigkeiten und Hindernisse hat sich der Konferenzleiter mit Material und Werkzeug vorzubereiten?
16. Wieviel Zeit muß direkt nach der Konferenz zur Verfügung stehen, um ein Ergebnisprotokoll zu erarbeiten?
17. Wer hat direkt nach der Konferenz an der Auswertung und Bewertung der Konferenz mitzuarbeiten?
18. Was hat direkt nach der Konferenz zu geschehen, um aus dieser Konferenz einen Nutzen für zukünftige Konferenzen zu ziehen?
    (Der beste Zeitpunkt eine Konferenz vorzubereiten ist das unmittelbare Ende der gerade abgelaufenen Konferenz!)
19. Was hat im Anschluß an die Konferenz zu geschehen? (Follow-up)
    Die Konferenz ist immer nur Teil einer Kette von Maßnahmen. Die gesamte Kette muß für jeden frühzeitig klar sichtbar sein!

H. Die Organisation am Konferenzort

1. Was ist am Konferenzort vorzubereiten?
2. Mit wem ist vorher zu sprechen?
3. Welche Hilfskräfte werden benötigt?
4. Was ist im Konferenzraum vorzubereiten?
5. Welche Sitzordnung wird gewählt?
   Wer sitzt wo?
   Der schwierigste Konferenzteilnehmer links neben dem Konferenzleiter!
6. Namensschilder mit sehr großer Schrift.
7. Tageslichtprojektor?
8. Diaprojektor?
9. Flip-Flap-Block?
10. Schreibmaterial für jeden Teilnehmer?
11. Kleine Geschenke und Aufmerksamkeiten?
12. Möglichkeiten zu telefonieren?
13. Schutz vor telefonischen und anderen Störungen.
14. Beleuchtung
15. Belüftung
16. Bewirtung der Teilnehmer
17. Fotokopierer
18. Sekretärin
19. Transportfragen
20. Pausenorganisation

2. Konferenzen professionell leiten

1. Fangen Sie pünktlich an.
2. Begrüßen Sie jeden.
3. Stellen Sie Kontakt unter den Teilnehmern her.
4. Sagen Sie, wann die Konferenz beendet sein wird.
5. Nennen Sie die Ziele der Konferenz.
   Sagen Sie, wofür bis zum Ende der Konferenz Ergebnisse erzielt sein sollen.
6. Geben Sie an, was als Anschlußprogramm an die Konferenz geplant ist.
7. Sagen Sie, was für diese Konferenz vorbereitet wurde.
8. Geben Sie die wesentlichen Informationen zur Organisation.
   Wer zahlt die Spesen?
   Wenn das nicht bekannt ist, sind manche Teilnehmer emotional so belastet, daß sie dem Konferenzverlauf gar nicht mehr folgen können.
9. Besprechen Sie die Agenda. Sie ist der Fahrplan für den Konferenzzug.
   Die Konferenz selber ist der Zug, der sich auf ein festgelegtes Ziel hin bewegt.
   Es sind Zwischenziele da. Stationen mit Zwischenergebnissen.
   Jeder muß die Agenda genau kennen, um sich später an sie zu halten. Wenn dies nicht der Fall ist –
   a) dann fährt der Zug überhaupt nicht los
   b) er hält nicht dort, wo vorgesehen
   c) er kommt auf anderen Bahnhöfen an
   d) er kommt überhaupt niemals an
   e) einzelne Reisende steigen aus
   f) andere bleiben im Zug und entmaterialisieren sich.
10. Eine Konferenz gleicht einem Staffellauf.
    Der Konferenzleiter hat dafür zu sorgen, daß die Richtung stimmt, daß überhaupt gelaufen wird, daß keiner den anderen behindert und daß sich jeder auf das Ziel hin bewegt.
    Wie aber verhalten sich manche Konferenzteilnehmer?
    a) Einer wirft sofort den Stab weg.
    b) Ein anderer verläßt die Aschenbahn und geht telefonieren.
    c) Der nächste wandert ab zum Hammerwerfen.
    d) Ein anderer begibt sich auf die Marathonstrecke und verläßt das Stadion.
    e) Einer kehrt zum Start seines Vorläufers zurück.
    f) Ein anderer läuft in die falsche Richtung.
    g) Der nächste wirft seinem Kollegen den Knüppel zwischen die Beine.
    h) Ein anderer baut das Ziel ganz woanders auf.

11. Sagen Sie, wann die Pausen stattfinden. Beachten Sie vorbeugend die sinkende Leistungskurve.
Denken Sie an Nichtraucher und Raucher. Geben Sie bekannt, daß Kurzpausen eine Möglichkeit bieten zu rauchen.
12. Schalten Sie vorbeugend Störungen aus, insbesondere telefonische Störungen.
13. Sorgen Sie dafür, daß nicht ein Teilnehmer nach dem anderen verschwindet, um andere Arbeiten zu erledigen.
Es gibt die „Zehn kleine Negerlein-Konferenzen".
Den einen hat der Chef gefressen, da waren es nur noch neun!
14. Gehen Sie mit starkem Willen, Ergebnisse zu erzielen, in die Konferenz.
15. Seien Sie sich von Anfang an der Tatsache bewußt, daß die Zeit kanpp ist.
Verschwenden Sie keine Zeit im Anfangsstadium der Konferenz.
16. Geben Sie bekannt, welche Redezeit für jeden vorgesehen ist.
17. Seien Sie nicht egozentrisch.
18. Sprechen Sie selber nur das absolute Minimum.
19. Als Konferenzleiter sollten Sie höchstens 10 % der Zeit sprechen. 90 % der Zeit sind für die Konferenzteilnehmer da.
20. Sie sind nicht der Hauptlieferant von Beiträgen. Sie sind verantwortlich dafür, daß die anderen Beiträge liefern.
21. In Konferenzen sollen Probleme gelöst werden, Entscheidungen fallen, es soll geplant und motiviert werden.
Kreativität ist wichtig. Zerstören Sie diese nicht durch Ihr Verhalten. Entmutigen Sie und langweilen Sie die Teilnehmer nicht.
22. Nutzen Sie das kreative Talent der Teilnehmer. Zügeln Sie sich selber. Empfinden Sie sich als Diener der Konferenzgruppe.
23. Nutzen Sie nicht die Macht Ihrer Position aus. Verwandeln Sie die Teilnehmer nicht in Mitläufer und in Dekorationen für Ihr Auftreten.
24. Treten Sie als Schiedsrichter auf und nicht als Spieler.
Sorgen Sie dafür, daß die Regeln für das Zusammenspiel eingehalten werden.
Reißen Sie das Spiel nicht an sich. Bestimmen Sie jedoch:
a) die Ziele
b) die Spieldauer
c) die Regeln der Kooperation
d) die Mitwirkung aller
e) den Verlauf.

25. Als Konferenzleiter und Schiedsrichter haben Sie die verschiedensten Funktionen von Ihren Konferenzteilnehmern wahrnehmen zu lassen.
a) definieren
b) illustrieren
c) beschreiben
d) erklären
e) darstellen
f) untersuchen
g) gliedern
h) vergleichen
i) beurteilen
j) diskutieren
k) zusammenfassen
l) ausklammern
m) begründen
n) beweisen
o) verfolgen
p) beenden
Verwenden Sie diese Begriffe für spezielle Aufforderungen an Ihre Konferenzteilnehmer.

26. Reden Sie während der Konferenz nicht immer als Erster sondern häufiger als Letzter.

27. Nutzen Sie Ihre Macht nicht aus, um alleine den Inhalt und die Ergebnisse zu bestimmen, sondern um zu besseren Ergebnissen durch die Beiträge der anderen zu kommen.

28. Lähmen Sie die Gruppe nicht durch einen Redeschwall.
Seien Sie nicht selber der Dauerredner der Konferenz.

29. Halten Sie die anderen nicht für unfähig.
Gehen Sie nicht von der Vorstellung aus:
a) die anderen sind dumm
b) die anderen wissen überhaupt nicht, was relevant ist
c) die anderen verwirren sich nur selber mit ihren eigenen Worten
d) solange ich das Wort habe, ist die Konferenzwelt noch in Ordnung.
Solange ich das Wort habe, kann nichts passieren. (Es kann wirklich nichts passieren!)

30. Vielleicht sind Sie auf vielen Gebieten besser als die anderen. Das ist natürlich sehr gefährlich:
Sie haben mehr Erfahrung. Sie denken schneller. Sie finden schneller den Kern eines Problems. Sie erfassen sofort die Ursachen. Sie erkennen die Interdependenzen. Sie sehen sofort die Risikofaktoren. Sie sehen die Nebenwirkung. Sie haben ein besseres Gedächtnis. Sie haben mehr Imagination.

Und wozu führt das nun:
a) Sie reden selber am meisten.
b) Sie verbessern jeden Beitrag.
c) Sie kritisieren jeden Beitrag.
d) Sie loben gnädig von oben herab. (Patronisieren als eine besondere Form von Konferenzgift)
e) Sie überrollen die anderen durch Ihre Ausdrucksfähigkeit.

Die anderen resignieren. Für sie ist die Konferenz zu Ende, auch wenn sie noch 3 Stunden dauert.

31. Verströmen Sie keine Weisheiten. Lassen Sie die anderen reden. Belehren Sie die anderen nicht laufend.
Ihre Aufgabe ist es, für einen ordentlichen Verlauf zu sorgen. Sie haben dafür zu sorgen, daß die Substanz von anderen diszipliniert geliefert wird. Sie haben die Substanz nicht selber zu produzieren.
32. Sie haben den Konferenzteilnehmern dabei zu helfen, professionell und intelligent zu arbeiten. Sie haben den einzelnen Teilnehmer zum Wohle des Gesamtergebnisses stark zu machen.
33. Gebraucht wird mehr Mut zur Anonymität. Selber runter vom Sockel. Weniger Hierarchiedenken. Sitzordnung ohne Hierarchie, also der runde Tisch.
34. Im Konferenzteam sind alle gleich. Jeder muß sich unbefangen äußern können. Vermitteln Sie kollektive Erfolgserlebnisse und nicht nur individuelle.
Lassen Sie nicht die Gruppe Weihrauch anzünden für einzelne. Die Gruppe darf nicht nur Staffage für einen Star sein.
35. Lassen Sie niemanden in die Verteidigung drängen.
Anschließend rüstet er nur noch auf. Manche sitzen Stunden da und produzieren nur Vergeltungswaffen. Den Konferenz-Revanchisten gibt es wirklich.
36. Machen Sie allen Teilnehmern klar, daß es Regeln für die Zusammenarbeit in Konferenzen gibt.
Es gibt einen Stil für die Zusammenarbeit. Einen Konferenzknigge.
37. Vermeiden Sie Gesichtsverluste. Niemand sollte persönlich angegriffen werden. Keiner sollte sich selbst für eine geäußerte Idee verteidigen müssen.
38. Gehen Sie nicht vorwurfsvoll auf Äußerungen ein, sondern erbitten Sie einfach eine Begründung für die Äußerung.
39. Mehr Herzlichkeit, mehr Konzilianz, mehr Toleranz, mehr Höflichkeit.
40. Vermeiden Sie, daß Witze auf Kosten von Anwesenden gemacht werden.
41. Verhindern Sie, daß einzelne laufend negative Kommentare abgeben. Fragen Sie: „Und was finden Sie nun an diesem Vorschlag positiv?"
42. Verhindern Sie Ungeduld, Feindseligkeiten und Rivalitäten.
Mindern Sie Spannungen, in dem Sie eine Kurzpause einlegen.
43. Sorgen Sie dafür, daß weniger kritisiert und mehr anerkannt wird.
44. Ersetzen Sie negative kritische Aussagen durch Gegenfragen an den Ideenlieferanten.
45. Spielen Sie nicht den einen gegen den anderen aus.

46. Bremsen Sie Dauerredner. Bremsen Sie die Geltungssucht einzelner.
Beteiligen Sie alle Anwesenden.
Sprechen Sie bestimmte Personen direkt auf ihr spezielles Leistungsvermögen an:
a) Sie haben doch besondere Erfahrung auf diesem Gebiet?
b) Sie haben doch gerade erst gestern mit einem solchen Fall zu tun gehabt?
c) Sie haben doch im letzten Jahr diesen großen Erfolg erzielt?
d) Sie haben doch dieses Problem schon einmal gelöst?
e) Die Grundidee hierfür stammt doch von Ihnen?

47. Sorgen Sie dafür, daß sich keine Cliquen bilden.

48. Verhindern Sie die Auflösung der Konferenz in kleine Gruppen. Schalten Sie Privatgespräche aus. Mehrere Kurzpausen sind ein gutes Hilfsmittel hierfür.
Es muß laut und deutlich gesprochen werden. Je leiser jemand spricht, um so mehr fördert er Privatgespräche.

49. Führen Sie die Konferenz mit heiterer Gelassenheit.
Mit großer Aufmerksamkeit. Blicken Sie nicht nur in eine Richtung. Wenden Sie sich jedem Teilnehmer zu.
Führen Sie die Konferenz ruhig, nicht hektisch. Überschlagen Sie sich nicht.
Sorgen Sie mit Humor und Festigkeit für ein diszipliniertes Verhalten.

50. Leiten Sie die Konferenz nicht nur mit dem gesprochenen Wort, sondern auch mit Mimik und Gestik. Setzen Sie Gesten ein für die Steuerung.

51. Geben Sie jedem die Möglichkeit, klar und deutlich seine Meinung zu sagen. Jeder sollte von der Sache her hemmungslos sagen dürfen, was er für falsch und gefährlich hält. Das ist ein Konferenz-Grundrecht!
Aber die Form, in der ein solcher Beitrag geboten wird, ist von größter Wichtigkeit.
Sie haben einen Einfluß auf diese Form zu nehmen.
Wie erfolgreich die Konferenz weiter verläuft, ist viel mehr abhängig von der Form, in der etwas gesagt wird, als von dem Gesagten selber.

52. Sie sind dafür verantwortlich, daß in der Konferenz keine Zeit verschwendet wird.
Hierfür gibt es ein hervorragendes Mittel. 10 % mehr Zeit für Manieren im Umgang untereinander, bringen ein Vielfaches an Zeitersparnis. Sie sorgen für die Ausschaltung von Reibungen, gegenseitigen Angriffen und Verteidigungsreden.
Als Konferenzleiter sind sie Atmosphäre-Spezialist. Sie sind Vorbild für Verhaltensnormen.
Dazu gehört beispielsweise, daß Sie sich für jeden Beitrag eines Konferenzteilnehmers bedanken.

53. Mildern Sie die Schärfe von Aussagen, ohne dabei die Substanz des Gesagten zu verfälschen.

54. Verhindern Sie, daß Aussagen des einen von einem anderen als persönliche Angriffe empfunden werden.

55. Lassen Sie immer erst die Vorteile eines Vorschlages besprechen und dann die negativen Elemente.

56. Sorgen Sie dafür, daß jeder zuhört und den anderen ausreden läßt.

57. Versorgen Sie jeden Teilnehmer mit dem gleichen Informationsstand.

58. Bringen Sie jeden zu einer klar verständlichen, präzisen Darstellung. Lassen Sie keine Verwirrung entstehen. Entkomplizieren Sie selber.
59. Leiten Sie die Konferenz mit Hilfe visueller Hilfsmittel. Setzen Sie den Tageslichtprojektor oder bei einer sehr kleinen Gruppe Flip-Flap-Blocks ein.
Sie können bequem die Punkte festhalten, die gerade zu behandeln sind. Sie können Zwischenergebnisse und Ergebnisse registrieren.
Sie können Alternativen gegenüberstellen. Sie können auf relevante Faktoren hinweisen.
Die visuelle Darstellung wirkt suggestiv. Sie diszipliniert. Sie sorgt dafür, daß jeder sich gedanklich dem Punkt zuwendet, der gerade zu behandeln ist. Er hat ihn im Blickfeld!
60. Lassen Sie keine Überschriften liefern, sondern fragen Sie sofort „was meinen Sie bitte im einzelnen?".
61. Prüfen Sie, ob jeder Begriff in gleicher Weise verstanden wird. Definieren Sie sonst den Begriff.
62. Verlangen Sie konkrete, praktische Empfehlungen.
63. Verlangen Sie, daß sich jeder konkret äußert und nicht abstrakt.
Verlangen Sie, daß er speziell wird und nicht allgemein bleibt.
64. Erbitten Sie Substanz und nicht Verpackung.
65. Verlangen Sie Zahlen.
a) Herr A. präsentiert in einer halben Stunde 4680 Worte und keine Entscheidung ist möglich.
b) Herr B. präsentiert in einer halben Minute 4 Zahlen und eine Entscheidung bietet sich sofort an.
66. Prüfen Sie jede Voraussetzung, von der ein Konferenzteilnehmer ausgeht. Stellen Sie fest, ob sie richtig und gültig ist? Unterscheiden Sie für alle zwischen Fakten, Meinungen und Vorurteilen.
67. Trennen Sie Unwichtiges vom Wichtigen. Prüfen Sie gemeinsam, welche Faktoren relevant sind und welche nicht.
68. Verschwenden Sie keine Zeit für Nebensächlichkeiten. Benutzen Sie folgende Fragen:
a) Ist dies für unser Ergebnis lebenswichtig?
b) Bringt uns dieser Punkt weiter voran zu einem Ergebnis?
c) Ist dies einer der entscheidenden Faktoren?
Unterscheiden Sie für alle erkennbar zwischen den wenigen lebenswichtigen Faktoren und den vielen relativ unwichtigen Faktoren.
69. Geben Sie immer wieder klare Aufgabenstellungen für den weiteren Konferenzabschnitt.
Nennen Sie die Stufenziele, die es jetzt zu erreichen gilt.
a) Was ist jetzt zu behandeln?
b) Was nicht?
c) Worauf ist unsere ganze Aufmerksamkeit zu lenken?
d) Wie lautet die Frage, die jetzt zu beantworten ist?

70. Verhindern Sie Abschweifungen. Erkennen Sie welche Teilnehmer einem Thema ausweichen und flüchten.
Es gibt
a) Zufluchtthemen
b) Nebelwerferthemen
c) gefahrlose Themen
d) Arbeitsvermeidungsthemen.

71. Stellen Sie bei unergiebigen Beiträgen die Frage: „Wieviele Minuten ist uns dieses Thema noch wert?“

72. Begrenzen Sie die Themenbehandlung zeitlich.

73. Fragen, die nicht beantwortet werden können, weil sie nicht zur Tagesordnung passen oder zu viel Zeit kosten, sollten schriftlich festgehalten werden, um später beantwortet zu werden.

74. Das gleiche gilt für Ideen. Wenn sie nicht behandelt werden können, halten Sie diese Ideen fest. Der Ideenlieferant ist damit auch zufrieden. Es ist sicher gestellt, daß die Idee nicht verloren geht.

75. Bringen Sie selber nicht mehr, als erforderlich ist, für das erwünschte Verstehen und Handeln.

76. In manchen Organisationen werden Konferenzen nur im Stehen abgehalten. Ohne Getränke, ohne Bewirtung. Da wird schnell auf alles Unnötige verzichtet.
In einem afrikanischen Dorf, darf jeder Dorfbewohner nur solange sprechen, wie er auf einem Bein stehen kann!

77. Beeinflussen Sie jeden, wirklich nur Relevantes zu bringen.

78. Sorgen Sie dafür, daß auf das geantwortet wird, was der Vorredner gebracht hat. Vermeiden Sie, daß der nächste Konferenzteilnehmer mit einem mutigen Sprung in ein neues Thema hineingeht.
Vermeiden Sie Themen-Hin-und-Her.

79. Steuern Sie Entscheidungen an. Steuern Sie Ergebnisse an.
Eine Konferenz ist kein Rahmen für die gelöste Kontemplation. Eine Konferenz ist der disziplinierte, planvolle Marsch auf ein konkretes Ergebnis.

80. Demonstrieren Sie mit Zwischenzusammenfassungen, in welcher Hinsicht bereits Übereinstimmung erzielt worden ist.
Zeigen Sie, auf welcher Stufe der Entscheidungsbildung sie sich bereits befinden.
Welche Fragen sind noch offen, was muß noch geklärt werden?

81. Gestatten Sie nicht, daß neue Themen von einem Teilnehmer mit einem Hauruck-Akt auf die Tagesordnung gesetzt werden.

82. Gestatten Sie nicht, daß ein Teilnehmer den anderen Ergebnisse und Beschlüsse suggeriert.

83. Lassen Sie Beschlüsse förmlich fassen. Einigen Sie sich auf die Ergebnisse.

84. Halten Sie die Ergebnisse in einem Ergebnisprotokoll fest.

85. Halten Sie fest, wer was zu erledigen hat. Wer hat welche Aufgaben übernommen. Notiz für die Erledigungs-Kontrollkartei!

86. Fassen Sie die Ergebnisse zum Schluß zusammen. Verlesen Sie das Ergebnisprotokoll.

87. Prüfen Sie, was bei dieser Konferenz erreicht wurde. Bewerten Sie die Ergebnisse.
a) Wieviel Zeit hat die Konferenz gekostet?
b) Finanzieller Aufwand?
c) Welche konkreten Ergebnisse hat sie gebracht?
d) Welche zusätzlichen Vorteile hat sie gebracht?
e) Was sollte man zukünftig bei ähnlichen Konferenzen anders machen?

3. Die Steuerungsfragen des Konferenzleiters

1. An was denken Sie bitte im einzelnen?
2. Könnten Sie uns dafür ein Beispiel nennen?
3. Wie oft kommt das vor?
4. Wann ist es bei Ihnen zum letzten Mal vorgekommen?
5. Kommt auch das Gegenteil vor?
6. Wo und bei wem ist das nicht der Fall?
7. Wie groß ist die finanzielle Bedeutung?
8. Wie groß ist die zeitliche Bedeutung?
9. Von welchen Voraussetzungen gehen Sie bei Ihrer Aussage aus?
10. Wie kommen Sie jetzt darauf?
11. Was haben Sie bisher selber getan, um damit fertig zu werden?
12. Was möchten Sie konkret erreichen?
13. Welche Personen meinen Sie im einzelnen?
14. Welche Vorkommnisse meinen Sie im einzelnen?
15. Können Sie das, was Sie sagen wollen, einmal ganz einfach formulieren?
16. Warum bringen Sie diesen Punkt gerade jetzt?
17. Warum kommen Sie auf diesen Punkt?
18. Welche Fragen wollen wir jetzt konkret lösen?
19. Welches Ziel wollen wir jetzt konkret ansteuern?
20. Bringt uns das, was wir jetzt besprechen, weiter an unser Ziel heran?
21. Wieviele Minuten wollen wir für dieses Thema jetzt noch aufwenden?
22. Möchten Sie Ihrem Vorredner direkt antworten?
23. Sind wir in diesem Punkt einer Meinung?
24. Welche wichtigen Aspekte sind noch nicht angesprochen worden?
25. Gibt es etwas, was sie besonders befürchten?
26. Sind irgendwelche anderen Vorteile noch nicht genannt worden?
27. Was haben wir vergessen?

4. Probleme lösen und Entscheidungen erarbeiten

1. Wo kommt dieses Problem vor?
2. Wo nicht?
3. Wann?
4. Wann nicht?
5. Wie häufig kommt es vor?
6. Wie groß ist der prozentuale Anteil an der Gesamtzahl der Fälle?
   a) Gesprächspartner/Kunden
   b) Mitarbeiter
   c) Besuche/Gespräche
   d) Erzeugnisse.
7. Welche finanzielle Bedeutung oder Auswirkung hat es?
8. Welche negativen Wirkungen verursacht dieses Problem?
9. Welche Ursachen sind für dieses Problem verantwortlich?
10. Welche von diesen Ursachen könnte man schnell selber aus der Welt schaffen?
11. Welche Informationen werden benötigt, um dieses Problem richtig beurteilen zu können?
12. Welche Zahlen werden benötigt?
13. Was kann geschehen, um diese Informationen schnellstens zu beschaffen?
14. Wer soll sie beschaffen?
15. Wird dieses Problem zukünftig häufiger oder weniger häufig auftreten? Wird es sich verstärken oder verringern?
16. Wann kann frühestens eine Lösung gefunden werden? Welche Voraussetzungen müssen also zuerst gegeben sein?
17. Wann muß spätestens eine Lösung geschaffen sein?
18. Welche Mängel entstehen, bleiben bestehen oder verstärken sich, wenn dieses Problem nicht gelöst wird?
19. Wer hat an der Lösung dieses Problems mitzuwirken? Was können welche Personen zur Lösung beitragen?
20. Wer könnte einem noch bei der Lösung behilflich sein?
21. Wer hat bereits ähnliche Probleme mit Erfolg gelöst?
22. Was wird automatisch mitgelöst oder verbessert, wenn dieses Problem bewältigt wird?
23. Welche positiven Hauptwirkungen bringt eine Lösung dieses Problems?
24. Welche positiven Nebenwirkungen?
25. Welche negativen Nebenwirkungen?
26. Was wird dadurch zukünftig ermöglicht oder erleichtert?
27. Was wird durch eine Lösung zukünftig verhindert oder erschwert?

28. Das Ende bedenken! Welchen positiven oder negativen Einfluß hat die Lösung auf das Ende?
29. Welchen Einfluß hat eine Lösung, wenn sich die Bedingungslagen ändern?
30. Welche Lösungen bieten sich an?
31. Das können nicht alle sein – welche gibt es außerdem?
32. Warum nur eine Lösung wählen? Warum nicht mehrere?
33. Warum Lösung A *oder* Lösung B? Warum nicht Lösung A *und* Lösung B.
34. Wie können die Lösungen getestet werden, bevor sie allgemein eingeführt werden?
35. Wo können sie getestet werden?
36. Mit welchen Beurteilungskriterien sind die einzelnen Lösungen auf ihren Wert miteinander zu vergleichen?
37. Welche Schritte können sofort eingeleitet werden?
38. Grundsatz: Selbst ein kleiner, erster Schritt zur Lösung eines Problems hat eine außerordentlich positive Wirkung und ermutigt alle Beteiligten!

Bewertungskriterien um mögliche Problemlösungen untereinander zu vergleichen

1. Kosten?
2. Größe des Nutzens?
3. Mehrfachwirkungen?
4. Wie schnell?
5. Welche positiven Nebenwirkungen?
6. Welche negativen Nebenwirkungen?
7. Reaktion der Betroffenen?
8. Wirkung auf die eigene Reputation?
9. Dauer des Nutzens?
10. Positive Multiplikator-Wirkung?

5. Schwierige Konferenzteilnehmer

Als Konferenzleiter müssen Sie mit vielen Menschenarten und ihrem Verhalten fertig werden. Hier sind einige der Typen:

A. Konferenzteilnehmer-Typen

1. Der Unvorbereitete
   a) der Bleistiftlose
   b) der Blockfreie.
2. Der Dauerredner.
3. Der Besserwisser.
4. Der Dauerschweiger.
5. Der Schläfer.
6. Der Gelangweilte.
7. Der Unterbrecher
   a) der Taktlose
   b) der Gereizte
   c) der Vulkan.
8. Der Rabiate.
9. Der Streitsüchtige.
10. Der Beschwerdeführer.
11. Der Meckerer.
12. Der Verbissene.
13. Der Fanatiker.
14. Die Krämerseele – der Detaillist.
15. Der Abschweifer.
16. Der Ausnahmen-Präsentator.
17. Die Märchentante.
18. Der Verwirrer – der Undeutliche – der Unklare.
19. Der Ergebnisverhinderer – der Warner – ja – ich bin Kassandra!
20. Der Übertreiber – der Dramatiker.
21. Der Pseudokraftmensch – der Gummi-Elefant.
22. Das Urvieh.
23. Der Zyniker – die Sarkasmusquelle – der Süffisante.
24. Der Pompöse.
25. Der Pfau – der Geltungssüchtige.
26. Der Aufgeregte – der Hektiker – das Unternehmenswiesel.

27. Der Streitpromoter – der Anheizer – der Aufhetzer.
28. Poseidon. Kurz auftauchen, mit dem Dreizack zustechen und dann wieder unter der Wasseroberfläche verschwinden.
29. Der Staatsanwalt.
30. Der Phrasendrescher
31. Die graue Maus – die Scholle – das Tarnwunder.
32. Der begeisterte, charmante, enthusiastische Applaudierer und zukünftige Nichtstuer.

B. Das Verhalten schwieriger Konferenzteilnehmer

1. Müde Arroganz.
2. Niemals ein Lächeln.
3. Keine Liebenswürdigkeit.
4. Massive Ausdrucksweise.
5. Niemals Zustimmung.
6. Keine positiven Beiträge.
7. Nur impertinente Fragen.
8. Negative Zwischenrufe.
9. Gekrümmt und verkniffen in Lauerlage mit scharf gemachtem Zuschnapp-Mechanismus.
10. Bedankt sich niemals.
11. Laufend Standardeinwände.
12. Ohne jede Disziplin.
13. Gehässige Bemerkungen.
14. Ungehörige Ausdrücke und Formulierungen.
15. Laufende Produktion von Zetteln, die grinsend weitergereicht werden.
16. Konzentration auf Privatgespräche.
17. Bildung einer Clique und Übernahme ihrer Führerschaft.
18. Nur rechthaberisch – keine Konzilianz.
19. Schweift laufend vom Thema ab.
20. Redet am Thema vorbei.
21. Versteht immer Bahnhof.
22. Redet viel zu lange.
23. Hat ständig zerstörerisch wirkende Assoziationen.
24. Völlig uninteressiert.
25. Überhaupt nicht oder nur mangelhaft vorbereitet.

26. Bringt laufend Punkte, die nicht zur Tagesordnung gehören.
27. Zu konfus.
28. Zu leise.
29. Nur Überschriften und Phrasen.
30. Verallgemeinert laufend Einzelfälle.
31. Kennt seine Qualifikationslücken nicht.
32. Schlägt mit seinem Brett vorm Kopf laufend auf alle anderen ein.
33. Gibt ständig Formulierungen folgenden Kalibers von sich:
    a) das ist doch alles ganz unterschiedlich.
    b) Das kann doch kein Mensch genau sagen.
    c) Bei mir sieht das alles ganz anders aus.
    d) Das geht aber nicht immer.
    e) Das ist doch alles graue Theorie.

6. Ideenmord in Konferenzen. Das Arsenal der Killerphrasen.

In jeder Konferenz gibt es zwei Gruppen – Ideenlieferanten und Ideenzerstörer.

Manche werden nur dann aktiv, wenn es gilt, zukünftige Aktivität zu verhindern.

Es gibt professionelle Bremser. Die können bremsen ohne zu denken.
Manche Abteilungen sind reine Bremserhäuschen.
Manche Bereiche sind Ideenzerstörungs-Bataillone.

Bremser haben besondere Waffen. Sie setzen immer wieder die gleichen ein.
Es sind Standardeinwände. Reine Überschriften ohne Substanz und Beweise. Billige, hingeworfene Formulierungen!

1. Das versuchen Sie mal bei der Art unserer Kunden.
2. Das versuchen Sie mal bei unseren Mitarbeitern.
3. Das geht vielleicht in Amerika, aber bei uns sind die Verhältnisse wohl doch etwas anders.
4. Ich meine, wir sollten auch ein wenig an die Zukunft unserer Firma denken.
5. Die Konkurrenz lacht sich tot, wenn die hören was wir vorhaben.
6. Kennen Sie einen Konkurrenten, der das jemals versucht hat?
7. In der Theorie haben Sie völlig recht, aber in der Praxis sehen die Dinge eben ganz anders aus.
8. Das haben wir 1968 schon einmal versucht, da leiden wir jetzt noch drunter.
9. Das passt nicht zu unserem Ruf.
10. Auf unserem Gebiet liegen die Dinge völlig anders. Ich kenne keinen Bereich, der sich auch nur im entferntesten mit unserem vergleichen ließe.
11. Das geht vielleicht in der Konsumgüterindustrie.
12. Das geht vielleicht in einem sehr großen Unternehmen.
13. Das geht vielleicht in einem sehr kleinen Unternehmen.
14. Das haben wir noch nie so gemacht und ich habe im Oktober mein 50jähriges Jubiläum.
15. Es ist völlig unnötig darüber zu reden. Denn das machen wir doch schon seit Jahren.
16. Daß dieser Vorschlag gerade von Ihnen kommt, wundert mich überhaupt nicht.
17. Daß dieser Vorschlag gerade von Ihnen kommt, wundert mich ein wenig.
18. Wie lange sind Sie jetzt eigentlich bei uns?
19. Wie lange wollen Sie noch bei uns bleiben?
20. Im Prinzip ist das sicher wunderbar, aber so funktioniert das nie.
    Das geht nicht, das geht nie. Glauben Sie mir – das können Sie mir glauben!
21. Vielleicht sollten Sie einmal daran denken, daß es auch Ausnahmen gibt.
22. Das ist doch ein alter Hut. Das ist doch nichts Neues. Diese Idee geistert hier doch schon seit Jahren herum.
23. So lassen Sie uns jetzt wieder in die Wirklichkeit zurückkehren.

24. Sie sind Ihrer Zeit um 5 Jahre voraus. Was Sie vorschlagen ist „der Krieg der Sterne“.
25. Das können Sie der Geschäftsleitung nie verkaufen.
26. So weit sind wir noch lange nicht.
27. Warum sollen wir die Pferde mitten im Strom wechseln. Sie wiehern doch prima!
28. Bisher sind wir hier ganz gut ohne Ihre Ideen ausgekommen.
29. Kennen Sie eine seriöse Firma, die das schon einmal probiert hat?
30. Ich finde die Sache höchst gefährlich und kann nur eindringlich davor warnen.
31. Die Veränderung ist viel zu radikal.
32. Gibt es bei uns wirklich keine wichtigeren Probleme?
33. Das ist doch reine Zeitverschwendung.
34. Das ist doch reine Geldverschwendung.
35. Und wer soll das bei uns machen?
36. Was meinen Sie, was das hier für ein Geschrei gibt.
37. Dann schnallen Sie sich mal gut an.
38. Wem nützt das eigentlich wirklich?
39. Nun sagen Sie mal ehrlich, was wollen Sie wirklich damit erreichen?
40. Das ist doch viel zu speziell.
41. Das ist doch alles ganz unterschiedlich.
42. Das kann man doch gar nicht genau sagen.
43. Das kann doch nicht Ihr Ernst sein.
44. Fühlen Sie sich nicht wohl?
45. Haben Sie diese Vorstellungen öfter?
46. Ich muß hierfür nachdrücklich jede Verantwortung ablehnen.
47. Ich weiß nicht wo Sie Ihre Erfahrungen hernehmen.
48. Und anschließend werden die Kosten gesenkt.
49. Und anschließend müssen wir alle mehr arbeiten.
50. Und anschließend wird dann nur noch kontrolliert.
51. Und anschließend schläft das sowieso wieder ein.
52. Und anschließend will es dann keiner gewesen sein.

7. Ursachen für das Verhalten schwieriger Konferenzteilnehmer.

A. Warum erscheinen manche Konferenzteilnehmer ideenfeindlich?

1. Sie wissen, daß es die eigene Organisation wahrscheinlich nicht mehr gäbe, wenn man alle in der Vergangenheit präsentierten Ideen realisiert hätte.
2. Sie haben zu viele Ideen gesehen, die keinen Erfolg brachten.
3. Sie haben eine negative Grundeinstellung. Ihr Enthusiasmus ist ihnen bereits vor Jahren abhanden gekommen.
   Sie haben keinen Antrieb mehr. In jeder Organisation gibt es:
   a) Lokomotiven
   b) Güterwagen
   c) Fahrgestelle mit angezogenen Bremsen.
   Sie gehören zur letzten Gruppe.
4. Sie haben Wissen, aber keine Imagination.
5. Sie besitzen zu viel Erfahrung, die ihnen sagt
   a) was alles nicht geht
   b) oder nicht ging
   (in damaligen, anderen Bedingungslagen!)
6. Sie sind von Anfang an zu kritisch eingestellt und geben dem Ideenlieferanten keine Chance seine Ideen verbessert zu präsentieren.
7. Sie betrachten jede Idee als Fertiglösung.
   Sie sehen nicht, daß eine Idee Rohstoffmaterial ist, das selbstverständlich noch von ihnen korrigierend bearbeitet werden muß.
   Ideen sollten deswegen etikettiert werden mit folgendem Text:
   Entwurf – Vorschlag – Grundidee!!! Bitte verbessern!!!
8. Sie befürchten, daß die neue Idee zeigt, was sie in der Vergangenheit unterlassen haben?
9. Ihre eigenen Ideen sind ihnen zu häufig zerschlagen worden.
10. Sie wissen zu wenig darüber, was andere Organisationen längst als professionelle Basis betrachten und was sie längst mit Erfolg realisiert haben.
11. Sie haben zu lange in einer beruflichen oder privaten Umgebung gelebt, die ihren Glauben an Lösungsmöglichkeiten auf ein Minimum reduziert hat.
12. Sie fürchten, daß ein Karriere-Konkurrent durch die Idee begünstigt werden könnte.
13. Sie fürchten sich vor den Schwierigkeiten, die sie bei der Annahme der Idee von ihren Mitarbeitern und anderen geliefert bekommen.
14. Sie hören so viel über Ideen und sehen so wenig Realisierung, daß sie das Wort „Idee“ schon nicht mehr hören können.
15. Sie sind zu wenig Besitzer professioneller Maßstäbe, die ihnen sagen könnten, was geändert werden sollte.
16. Sie sind Sonntagskinder, sie leben als Arglose im Chaos, sie haben zu wenig Antriebsunruhe.
17. Sie haben zu wenig Zeit.

18. Sie fürchten, daß aus der Idee auch noch Arbeit entstehen könnte.
19. Sie wissen wieviel Zeit und Realisierungsaufwand erforderlich ist.
20. Sie wissen wie knapp die Mittel sind, die zur Verfügung stehen.
21. Sie wissen, welche anderen Betätigungsgebiete und Projekte durch den erforderlich werdenden Abzug von Kraft und Zeit leiden würden.
22. Sie haben ganz andere Probleme.
23. Sie sehen, wie wenige Änderungen in einem bestimmten Zeitraum ertragbar sind, ohne einen Zukunftsschock zu bekommen.
24. Sie kennen das Leistungsprofil der eigenen Organisation und glauben daraus ableiten zu können, was nicht möglich ist.
25. Sie sehen wie eine verwirklichte Idee dieser Art auf andere Beteiligte wirkt.
26. Sie sehen die Interdependenzen und die Interaktionen stärker.
27. Ihnen wird nur sachbezogen etwas vorgetragen. Sie sehen die Führungsschwierigkeiten, die menschlichen Schwierigkeiten, die durch die Änderung bewirkt werden.
28. Sie können besser rechnen.
29. Sie haben mehr Fehlschlagserfahrung.
30. Sie haben viele sinnlose Anläufe gesehen.
31. Sie kennen mehr Bluffer.
32. Sie sind älter, erfahrener, kritischer, skeptischer.

B. Warum sind bestimmte Mitarbeiter gegen Trainingskonferenzen eingestellt?

1. Es gibt nichts Neues. Ich kenne bereits alles. In meinem Alter kann man nichts mehr dazulernen. Mein Abitur liegt bereits 2 Jahre hinter mir.
2. Ich war bereits in der Schule. Soll das jetzt noch mal von vorne losgehen?
3. Reine Theorie. In der Praxis sieht das völlig anders aus.
4. Die mir das hier erzählen, sollen ihre Theorien erst einmal selber in der Praxis beweisen.
5. Bevor die anfangen mir zu erzählen, was ich ändern soll, sollten die erst einmal an einer anderen Stelle der Organisation sich mit Änderungen beschäftigen.
6. Systematik ist menschenfeindlich.
7. Langes Sitzen strengt mich an.
8. Ich habe mich lange genug erfolgreich getarnt und beabsichtige nicht, mich genauer kennen lernen zu lassen.
9. Ich bin nicht gewillt, mich vor anderen zu blamieren.
10. Ich möchte erst einmal meine eigenen Probleme loswerden.
11. Wie der bei seinem Führungsverhalten es wagt, *mir* Ideen zu präsentieren, ist schon couragiert.
12. In dieser Organisation bleibe ich ohnehin nur, weil es woanders noch schlimmer sein könnte.

8. Das Verhalten des Konferenzleiters gegenüber einem schwierigen Konferenzteilnehmer.

1. Wählen Sie den richtigen Platz für ihn aus.
2. Zwischen welche Personen sollten Sie ihn setzen?
3. Übertragen Sie ihm eine Vorbereitungsaufgabe.
4. Lassen Sie ihn einen Vortrag halten, eine Präsentation machen.
5. Übergeben Sie ihm eine Aufgabe, für deren Gelingen er auf das Wohlwollen der anderen Konferenzteilnehmer angewiesen ist.
   Dann wird er sich auch um die anderen bemühen!
6. Geben Sie ihm eine Aufgabe, für die er auf Ihr Wohlwollen und Ihre Hilfe als Konferenzleiter angewiesen ist.
7. Erteilen Sie ihm nicht laufend das Wort. Übersehen Sie ihn.
8. Sagen Sie: „Lassen Sie uns bitte die Wortmeldungen der Reihenfolge nach berücksichtigen..."
9. Stellen Sie ihm Gegenfragen.
10. Fragen Sie nach konkreten Zahlen.
11. Bitten Sie ihn speziell zu werden.
12. Lassen Sie ihn nach vorne kommen.
13. Übertragen Sie ihm eine Arbeit.
14. Geben Sie seine Beiträge zur Beurteilung an die Gruppe weiter.
15. Hören Sie bei störenden Bemerkungen von seiner Seite auf zu sprechen. Schweigen Sie eine kurze Zeit. Einer aus der Gruppe wird dann schon den richtigen Kommentar geben.
16. Lassen Sie seine eigenen Leistungen mit Zahlen belegen.
17. Erteilen Sie ihm eine Redezeit.
18. Bitten Sie ihn, seine Bedenken und seine Vorbehalte zu Papier zu bringen.
19. Bitten Sie ihn, einen eigenen Gegenvorschlag zu Papier zu bringen.
20. Übertreiben Sie die Höflichkeit nicht. Mit jedem Schritt, den Sie mehr zurückweichen, wird er anmaßender.
21. Lassen Sie sich nicht schikanieren.
22. Sprechen Sie mit ihm unter vier Augen über sein Konferenzverhalten.
23. Laden Sie hartnäckige Konferenzzerstörer zu einzelnen Konferenzen nicht mehr ein.

9. Knigge für Konferenzteilnehmer

1. Bereiten Sie sich auf die Konferenz vor.
2. Halten Sie das ein, was Sie für die Konferenz versprochen haben.
3. Bringen Sie genügend Exemplare Ihrer für andere vorgesehenen Unterlagen mit, um jedem Konferenzteilnehmer ein Exemplar auszuhändigen.
4. Lassen Sie Ihr Material so gliedern und schreiben, daß jeder es schnell und bequem verstehen kann.
5. Geben Sie besondere Informationen, über die Sie exklusiv verfügen, frühzeitig an die anderen Konferenzteilnehmer.
   Lassen Sie nicht erst Zeit für Gedanken verschwenden, die dann alle unsinnig werden, wenn Sie endlich mit Ihrer Exklusiv-Information herausrücken.
6. Helfen Sie nachdrücklich dabei, schneller zum Ziel zu kommen.
7. Helfen Sie Zeit sparen.
8. Helfen Sie, eine freundliche Atmosphäre zu schaffen, in der es leichter fällt konstruktiv zu denken.
9. Verhalten Sie sich galant, liebenswürdig, behutsam.
10. Bedanken Sie sich für die Beiträge anderer.
11. Antworten Sie auf das, was Ihr Vorredner gesagt hat.
12. Ereifern Sie sich nicht.
13. Belehren Sie nicht die anderen.
14. Verzichten Sie auf herabsetzende Kommentare.
15. Reden Sie anderen nicht einfach dazwischen. Bitten Sie um das Wort, bevor Sie anfangen zu sprechen.
16. Reißen Sie nicht die Diskussion an sich. Lassen Sie auch den anderen ein Stück vom Zeitkuchen übrig.
17. Reden Sie nur, wenn Sie damit wesentlich zum richtigen Ergebnis beitragen können.
18. Bringen Sie nichts Irrelevantes.
19. Bringen Sie keine Überschriften. Werden Sie speziell. Liefern Sie Fakten, Zahlen!
20. Stellen Sie Meinungen nicht als Fakten dar.
21. Liefern Sie keine Standardeinwände wie beispielsweise „in der Praxis sieht alles ganz anders aus".
    Sagen Sie genau, was im einzelnen anders aussieht und was man also berücksichtigen muß.
22. Erzählen Sie nicht laufend spannende Geschichten, um zu zeigen, daß es absurde Fälle gibt. Präsentieren Sie nicht eine Ausnahme nach der anderen, um damit erstrebte Lösungen für die 80 % Normalfälle zu torpedieren.
23. Bringen Sie jedoch wesentliche Einwände gegen eine bestimmte Lösung, bevor ein Beschluß gefasst ist.
    Fangen Sie nicht erst nach dem Beschluß an, Ihre Bedenken zu äußern.

24. Helfen Sie dem Konferenzleiter.
25. Arbeiten Sie nicht nur mit Aussagesätzen, sondern stellen auch Sie mehr Fragen.
26. Bleiben Sie wach und aufmerksam.
27. Verhalten Sie sich diszipliniert. Führen Sie keine Privatgespräche.
28. Machen Sie sich wohlgeordnet Notizen. Schreiben Sie vor allem auf, was Sie in der Konferenz versprechen.

10. Wodurch scheitert ein Vortragender mit seiner Ideen-Präsentation?

1. Er hat sich für diese Präsentation nicht genügend vorbereitet.
2. Er wirkt zu wenig überzeugt und begeistert.
3. Er weiß nicht, was er im einzelnen wirklich will.
4. Er verfügt über keine wohlgeordneten Unterlagen.
5. Er spricht nur, anstatt eine visuelle Präsentation zu bieten.
6. Er setzt keine Instrumente für die Dramatisierung bestimmter Vorteile seiner Vorschläge ein.
7. Er hat keinen klaren Überblick über die Lage.
8. Ihm fehlen Fakten, Zahlen, Beweise.
9. Er hat zu wenig Praxisforschung betrieben.
10. Er kennt seine Zuhörer zu wenig
    a) ihre aktuellen Probleme
    b) ihre Erfahrungen
    c) ihre Arbeitsweise
    d) ihre Zeitverwendung
    e) ihre Befürchtungen
    f) ihre Wünsche und Ziele
    g) ihre speziellen Stärken und Schwächen.
11. Er spricht nicht die Sprache seiner Zuhörer.
12. Er verwendet Begriffe, die seine Zuhörer überhaupt nicht verstehen, falsch verstehen oder die bei seinen Zuhörern negative Vorstellungen auslösen.
13. Er verwirrt seine Zuhörer. Er kann seinen Vorschlag nicht einfach und anschaulich darstellen.
14. Er bringt zu viel Ballast.
15. Er bringt zu wenige passende Beispiele.
16. Er bleibt zu allgemein, zu sehr an der Oberfläche. Er sagt nicht, was er im einzelnen meint.
17. Er läßt sich reizen und aus der Ruhe bringen.
18. Er verärgert seine Zuhörer.
19. Er ist rhetorisch eine Zumutung.
20. Ihm fehlen die richtigen Fragen, um seine Zuhörer zu aktivieren und zu steuern.
21. Er läßt sich von falschen Voraussetzungen und Ausnahmen überfahren.
22. Er läßt sich darauf ein, zu lange über einen unbedeutenden Punkt zu diskutieren.
23. Er diskutiert Scheinprobleme.
24. Er läßt sich und die anderen von einem Diskussionsredner verwirren.
25. Er antwortet auf Diskussionsbeiträge, anstatt erst einmal Gegenfragen zu stellen.

26. Er gerät mit der „ja – aber – Methode“ in die Konfrontation. Er arbeitet nicht mit der „ja – und – Methode“.
27. Er prüft nicht, wie seine einzelnen Aussagen verstanden werden. Er analysiert dies zu wenig mit Fragen.
    Er sendet nur, anstatt auch Empfangskontrollen vorzunehmen.
28. Er verwendet seine Zeit nicht rationell.
29. Er springt von einem Thema zum anderen und behandelt kein Thema zu Ende.
30. Er stellt die wichtigsten Punkte nicht deutlich genug heraus.
31. Er ist schlecht zu verstehen.
32. Er wird zu häufig gestört.
33. Er hat eine nicht geeignete Umwelt, zum Beispiel den falschen Raum gewählt.
34. Der Zeitpunkt für seine Präsentation liegt ungünstig.
35. Seine Zuhörer sind müde.
36. Seine Zuhörer haben zur Zeit andere Probleme und Sorgen, die für sie eine ganz andere Größenordnung besitzen.

11. Brainstorming-Konferenzen

A. Brainstorming-Regeln

1. Brainstorming ist schöpferische Zusammenarbeit und schöpferisches Denken in Gruppen. In einer Brainstorming-Konferenz werden Ideen *gesammelt.*
2. Sie werden jedoch weder kritisiert noch beurteilt, geordnet oder klassifiziert. Die Phasen der Gewinnung von Ideen und der Beurteilung dieser Ideen sind zeitlich strikt voneinander getrennt. Brainstorming ist die Phase des Sammelns.
3. Keiner darf den Beitrag eines anderen kritisieren. Wer einmal kritisiert, wird ermahnt. Wer zweimal kritisiert, geht hinaus.
4. Zu Beginn der Brainstorming-Konferenz ist abzusichern, daß die gestellte Aufgabe von jedem genau verstanden wurde.
5. Der gewählte Konferenzraum sollte freundlich und stimulierend sein. Es ist für eine Atmosphäre entspannter Zusammenarbeit zu sorgen.
6. Es sollten nicht nur Personen aus der Firma oder dem engeren Fachgebiet teilnehmen. Nicht nur Spezialisten, denen es leicht fällt zu erklären, warum etwas nicht gehen kann.
7. Es geht nicht darum, was die Teilnehmer bereits alles aus Erfahrung wissen. Wichtig sind vielmehr Vorstellungskraft und Kombinationsgabe.
8. Jeder hat seinen Beitrag kurz und knapp, am besten nur in Stichworten zu äußern.
9. Jeder soll seine Idee auch dann laut und deutlich sagen, wenn er selber weiß, daß sie noch schwache Punkte hat.
10. Die Brainstorming-Konferenz lebt von der Fröhlichkeit und vom Tempo.
11. Der gewählte Konferenzleiter muß alle Teilnehmer begeistern. Er muß sich für jede Idee enthusiastisch bedanken. Er soll selber Ideen einwerfen, wenn der Ideenfluß der anderen stockt.
12. Personen, die ihrem Wesen, ihren Verhaltensweisen, ihrer Spezialmimik und Gestik nach negativ sind, die andere bremsen und hemmen, gehören in eine Brainstorming-Konferenz nicht hinein.
13. Ein Berichterstatter oder eine Sekretärin sollte die Beiträge registrieren. Bei diesem Vorgang sind die Teilnehmer jedoch nicht durch Rückfragen in Diskussionen zu verwickeln. Die Beiträge können auch auf Tonband festgehalten werden.
14. Die Brainstorming-Konferenz sollte nicht zu lange dauern. 10 Minuten sind gut. Dann kann man eine Pause einlegen. Wenn man das Thema dann noch einmal behandelt, kommen erfahrungsgemäß viele zusätzliche Ideen.
15. Ein kleinerer Kreis studiert später das Brainstorming-Ergebnis. Das Material wird geordnet. Die Ideen werden beurteilt. Ideen für die Realisierung werden ausgewählt.
16. Den Teilnehmern wird später mitgeteilt, was man realisieren wird. Über den Realisierungserfolg werden sie ebenfalls unterrichtet.

B. Die Vorteile der Brainstorming-Methode

1. Keine negative Kritik.
2. Neutralisierung oder sogar Umprogrammierung der Pessimisten, Bremser, Verwirrer und Zerstörer.
3. Positive Atmosphäre.
4. Ideen können sich entwickeln und werden nicht sofort zerschlagen.
5. Höherer Glaube an die Existenz von Lösungsmöglichkeiten.
6. Gewinnung einer Vielzahl von Ideen, Möglichkeiten, Lösungen, Anregungen.
7. Enormer Zeitgewinn.
8. Reger geistiger Wettbewerb.
9. Spannung und Tempo – hoher Wachheitsgrad.
10. Katalysatorwirkung – der Beitrag des einen stimuliert den anderen.
11. Leichteres Überschreiten der traditionellen Grenzen.
12. Kurze und knappe Beiträge, keiner ist mehr langatmig.
13. Jeder wird seine Idee sofort los und gewinnt Raum für die Produktion neuer Ideen.
14. Die Zusammenarbeit ist gelöst und entspannt.
15. Streitgespräche werden vermieden.
16. Das persönliche Unterbewußtsein wirkt stärker.
17. Das kollektive Unterbewußtsein kommt zur Geltung.
18. Mehr Originalität – weniger eine Modenschau alter Hüte.
19. Jeder befindet sich auf der gleichen Stufe des Prozesses der Entscheidungsbildung; Man einigt sich, in einer bestimmten Zeitspanne isoliert zu sammeln, entweder:
    Ideen über die Situation
    oder: über die verantwortlichen Ursachen
    oder: Vorstellungen über anstrebenswerte Ziele
    oder: Hindernisfaktoren
    oder: mögliche Lösungen
    oder: Beurteilungskriterien für den Vergleich der Lösungen
    oder: Ideen für den Realisationsplan.

Teil 5: Mustergültige Telefonate

Inhaltsverzeichnis

1. Fehler und Mängel beim Telefonieren

1. Erstmal der Griff zum Telefon, ein Sinn ergibt sich später schon!
   Zu viele Anrufe erfolgen impulsiv, ohne daß genau überlegt wird, ob und warum der Anruf erforderlich ist.
2. Zu viele Anrufe zur eigenen Rückversicherung. Delegation von Verantwortung nach oben. Arbeit bei anderen abladen. Furcht vor eigenen Entscheidungen.
3. Anstatt Einfälle zu speichern, sofort ein Telefonat.
   Damit gibt man dem Gesprächspartner auch gleich Gelegenheit, die Idee zu zertrümmern. „Sagen Sie einmal, was halten Sie davon?“ „Nichts!“
4. Zu viele Anrufe als Fluchthandlungen, um der wirklich dringenden Arbeit zu entgehen.
   Arbeit ist das, was heute geleistet werden muß! Das andere ist Beschäftigung.
5. Hätte man erhaltene Schreiben sorgfältig gelesen, dann wäre ein Anruf unnötig gewesen.
6. Wegen jeder einzelnen Angelegenheit ein Extratelefonat. Anstatt mehrere Punkte zu sammeln, um diese dann in *einem* Telefonat gebündelt zu erledigen.
7. Das Telefon wird benutzt, wenn ein Fernschreiben, ein Kurzbrief, oder eine schriftliche Schnellantwort (mit Kopiermaske) zweckmäßiger wäre.
8. Manche telefonieren nur deshalb, um sich schriftlich nicht festlegen zu müssen.
9. Andere telefonieren, weil sie ihre Gedanken schriftlich nicht präzise formulieren können.
10. Gesprächsthemen für wichtige Telefonate werden nicht per Fernschreiber oder Kurzbrief angekündigt.
    Der Gesprächspartner hat also keine Gelegenheit, sich gründlich auf das Telefonat vorzubereiten.
11. Der Anrufer selber bereitet sich nicht auf das Telefonat vor.
    Benötigte Unterlagen, werden nicht vorher bereitgelegt.
    Erst während des Telefonats wird begonnen, die Unterlagen zusammenzusuchen.
    Oft hat der Anrufer die telefonisch zu besprechenden Punkte selbst nicht bis zu Ende durchdacht.
12. Manche wählen erst und fangen dann an, Papier, Bleistift und ihren Terminkalender zusammenzusuchen.
13. Weitschweifige, verwirrende Einleitungen und zeitraubende Vorreden.
    Zu Beginn eines Telefongespräches nennt der Anrufer keine Stichworte, mit deren Hilfe der Angerufene den Zweck des Gespräches sofort erfassen könnte.
14. Unwichtiges Füllmaterial im Gespräch.
15. Umständliche Erklärungen.
16. Unnötige Wiederholungen.
17. Ausführungen, die nicht den Kern der Sache treffen.
18. Bekannte Vorgeschichten werden immer wieder aufgewärmt.

19. Angaben sind unpräzise.

20. Keine Stichworte, keine Kurzfassungen.

21. Wesentliches und Unwesentliches fließen zu sehr ineinander.

22. Anrufer überfällt den Angerufenen mit einem Redeschwall und braucht eine Ewigkeit, um das wenige zu sagen, was er wollte.

23. Es gibt wenige Anrufer, die sich knapp und klar ausdrücken können.
Zu viel Geschwätz.
„Fasse Dich kurz" wird von vielen nicht praktiziert.

24. Der Anrufer redet pausenlos und gibt dem Angerufenen keine Gelegenheit, auch einmal ein Wort zu sagen.
Das Telefonieren scheint die Beschäftigung zu sein, bei der jemand minutenlang ohne Atempausen auskommen kann.
Sie reden und reden und reden.
Bei manchen hat man den Eindruck, sie wären an den Einnahmen des Telefondienstes der Bundespost beteiligt.

25. Keine Kurzfassungen, sondern der normal übliche Plauderton.

26. Die Gedanken werden erst während des Gespräches geordnet.

27. Viel zu viel Zeit für Höflichkeitsfloskeln am Beginn und am Ende des Gespräches.

28. Zu viele private Themen werden mitbehandelt.
„Wie geht es?" „Bei Ihnen auch schönes Wetter?"

29. Bequemlichkeit, Interesselosigkeit, mangelndes Serviceempfinden. Zu wenig professionell, zu müde.
Manche lassen das Telefon zu lange klingeln, bevor sie sich endlich bequemen, den Hörer abzunehmen.

30. Manche Telefon-Nummern sind ständig besetzt.

31. Telefonzentralen, besonders jedoch Nebenstellen, sind häufig unbesetzt.

32. Die von Telefonistinnen gestellten Fragen sind häufig nicht geeignet genug, um die Wünsche des Anrufers schnell genug richtig erfassen zu können.
Bei manchen „Telefonzentralen gilt das Motto: Weiterverbinden, dann ist man den Anrufer erst einmal los".

33. Der Anrufer muß zu viele Stationen passieren, bevor er den gewünschten Gesprächspartner bekommt.

34. Es wird automatisch weiterverbunden, ohne daß man dem Anrufer dies mitteilt.

35. Es wird weiterverbunden, ohne daß der Name oder die Abteilung desjenigen genannt wird, mit dem man verbindet.

36. Der Anrufer wird nicht mit seinem Namen angesprochen.

37. Man läßt den Anrufer am Telefon verhungern und gibt ihm überhaupt keine Zwischeninformationen oder gibt sie nur in zu großen Zeitabständen.

38. Ferngespräche werden nicht vordringlich behandelt.

39. Es existiert nur in sehr wenigen Organisationen ein konkretes Programm, das dazu dient, dem Anrufer Zeit und Kosten sparen zu helfen.

40. Meldungen am Telefon sind häufig nicht informativ genug: „Hallo“, „Ja“, „Ja bitte“.
Häufig meldet man sich nur mit dem Namen.
Firma und Abteilung werden nicht genannt.
Insbesondere bei Durchwahlnummern muß stärker auf die Form der Meldung geachtet werden.

41. Manche melden sich zu rasch und zu undeutlich.

42. Der Angerufene meldet sich bereits, wenn er noch nicht richtig in den Hörer spricht und verschluckt die halbe Meldung.

43. Der Angerufene führt noch eine Unterhaltung zu Ende, wenn er bereits den Hörer abgenommen hat.

44. Der Anrufer muß minutenlang warten, bis der Gesuchte gefunden ist.
Der Anrufer gibt nicht kurz an, wann er wieder anrufen wird.
Bis dahin würde der Gesuchte da sein und könnte sich vorher sogar noch auf das Gespräch vorbereiten.

45. Mitarbeiter verlassen ihren Arbeitsplatz, ohne anzugeben, wo sie erreichbar sind.
Suchaktionen – Wartezeit!

46. Unfreundliches Verhalten am Telefon.
Zu wenig bemüht, zu wenig herzlich.
Zu kalt, zu nüchtern. Zu wenig lebendig, zu routinehaft.
Für manchen Anrufer ist dieser Anruf „ein besonderes Ereignis“. Für die angerufene Stelle ist es der dreißigste Anruf.
Der Anrufer ist eine Einzelpersönlichkeit und nicht das Element einer Menge!

47. Der Anrufer läßt den gewünschten Gesprächspartner durch seine Sekretärin anrufen.
Der erreichte Angerufene muß dann warten, bis derjenige am Apparat ist, der etwas von ihm will.

48. Jemand meldet bei der Telefonzentrale ein Ferngespräch an. Anschließend ruft er seinerseits einen anderen an.
Dann muß er das zweite Gespräch unterbrechen, weil er sein Ferngespräch erhält.

49. Auch für belanglose Themen werden immer wieder Vorgesetzte verlangt, anstatt der zuständige Sachbearbeiter.

50. Anrufer überlegen sich häufig nicht, daß sie mit einer Spezialfrage auch zum zuständigen Spezialisten gehen müssen.

51. Viele Telefonistinnen sind über die interne Organisation ihrer Firma unzureichend informiert.
Sie kennen die Zuständigkeiten und Fachgebiete nicht genau.
Ihr technisches Wissen ist häufig nicht ausreichend.
Sie wissen nicht, wer verreist, krank oder im Urlaub ist.

52. Vielbeschäftigte Telefonvermittlungen verfügen über keinen Auskunftsplatz, der mit einem im Betrieb großgewordenen Alleswisser besetzt ist.
Folglich wird der Anrufer bei komplizierten Themen von einer Stelle zur anderen Stelle weitergereicht.

53. Sogenannte Stellvertreter, die angeboten werden, sind meist nur sogenannte Stellvertreter.

54. Sind gewünschte Personen nicht erreichbar, wird manchmal nur gesagt: „Herr A. ist leider nicht da!"
Hilfe wird jedoch keine angeboten.
a) Wann ist er wieder da?
b) Wird er zurückrufen?
c) Wer könnte dem Anrufer jetzt helfen?

55. Firma, Name, Telefonnummer und Anliegen eines Anrufers, der den gewünschten Gesprächspartner nicht erreicht, werden nicht richtig registriert.
Der ursprünglich Verlangte kann also nicht sinnvoll reagieren.

56. Große Suchaktionen werden gestartet, anstatt den Anruf zu registrieren und einen Rückruf anzubieten.

57. Viele versprochene Rückrufe werden nicht oder nicht pünktlich eingehalten.
Manchmal nur deshalb nicht, weil der Nichterreichte über den Anruf gar nicht informiert wurde.

58. Sachbearbeiter versuchen häufig aus einem besonderen Serviceempfinden heraus, für den Anrufer Fragen sofort zu klären.
Dadurch muß der Anrufer zu lange warten. Ein Rückruf wäre besser.

59. Geräusche aus dem Hintergrund: Krach, Gekicher, Gelächter.
Eine Geräuschkulisse, die das Firmengesicht negativ beeinflußt.
Das Telefon wird überhaupt zu wenig bewußt genutzt, um das Firmengesicht zu verbessern.

60. Der Anrufer wird ungewollt zum Belauscher von Gesprächen, die neben dem Telefon geführt werden.

61. Der verlangte Gesprächspartner wird am Telefon verleugnet.
Aus dem Hintergrund klingt seine wohlbekannte Stimme.

62. Dilettantische, amateurhafte Reklamationsbehandlung am Telefon. Unfreundliches, mürrisches Verhalten.

63. Kein Training der Mitarbeiter über das zweckmäßige Verhalten am Telefon.
Keine Arbeitsanweisungen für das Verhalten am Telefon.

64. Manche glauben, Gebrüll wäre besonders gut zu verstehen. Andere nuscheln.

65. Erhaltene Aufträge werden nicht wiederholt. Nur: „Ja, ja – ist gut!"
Mitteilungen werden nicht aufgeschrieben. Man glaubt, man könne das alles im Kopf behalten.

66. Es sind keine Sperrstunden (Telefonruhe) eingerichtet, um die interne telefonische Belastung zu mindern.

67. Die Formulare zur Vorbereitung und Registrierung von Anrufen sind unzweckmäßig gestaltet oder sie fehlen überhaupt.

68. Telefonverzeichnisse sind nicht informativ genug.

69. Abends meldet sich der häufig für den Telefonverkehr nicht besonders geeignete Pförtner.

70. Viele technische Hilfsmittel, die das Telefonieren außerordentlich erleichtern könnten, werden nicht eingesetzt.

2. Mein Amateurstatut für das Telefonieren

1. Der größte Mangel beim Telefonieren besteht darin, daß man sich nicht sehen kann. Manchmal ist das natürlich kein Mangel.
   Da einem die Möglichkeit fehlt, die eigenen Worte mit Gestik und Mimik zu unterstreichen, empfiehlt es sich, durch Wortmalerei, erläuterndes Füllmaterial, laufende Wiederholungen, rankendes Beiwerk, langes Anlaufnehmen und untermalende Geschichten das Gespräch so auszubauen, daß auch der letzte Gesprächspartner versteht, was gemeint ist.
   Ein kurzes Telefonat ist ein unsinniges Telefonat, denn nur selten ist es verständlich. Der wichtigste Grundsatz für das Telefonieren heißt: Nichts ist geschäftsstörender, als ein kurzes und knappes Telefonat! – Die Kunstform für das Telefonieren ist das Epos.
2. *Eine gründliche Vorbereitung auf ein Telefonat ist nutzlos.* Man muß immer damit rechnen, daß die Nummer des anderen besetzt ist, voraussichtlich wird er doch nicht da sein, und wenn man ihn erreicht, wird er sicher ganz andere Themen besprechen wollen.
   Die goldene Telefon-Regel lautet deshalb: Erst wählen, dann reden, dann denken, dann suchen, dann auflegen!
3. *Höfliche Floskeln* sind der Schmuck eines jeden Anrufers. Darüber hinaus verhüten Sie, daß der Angerufene wirklich erkennt, was man von ihm will.
4. Fassen Sie niemals mehrere Themen in einem Telefonat zusammen. Das Aufnahmevermögen des Gesprächspartners reicht häufig nur für ein Thema. Im übrigen hat jedes Gesprächsthema ein Anrecht auf sein eigenes Telefonat. So gilt als Motto: *Lieber einmal öfter,* natürlich trotzdem so lange.
5. Es ist sinnlos, sich den Inhalt eines Telefongespräches aufzuschreiben, denn *der Zettel kann verloren gehen.* Aber was man im Gedächtnis hat, daß weiß man.
6. *Nehmen Sie niemals den Hörer sofort ab,* wenn das Telefon klingelt. Der Anrufer könnte sonst denken, Sie hätten nichts zu tun.
7. *Melden Sie sich kurz und knapp* mit: „Ja“, mit „Hallo“, mit „Bitte“, mit „Müller“, vielleicht aber auch mit „Wer da?“, das ist die richtige Form der Meldung.
   Wo käme die deutsche Volkswirtschaft hin, wenn sich jeder pro Tag zigmal mit Namen, Firma und Abteilung meldete. Der Zeitverlust würde unsere ganze Wettbewerbsfähigkeit vermindern.
8. Wenn Sie einen Mitarbeiter haben, den die anderen fürchten, der die anderen schreckt und sie verstummen läßt, für den *Grobheit der Schmelz der Ehrlichkeit* ist, lassen Sie ihn telefonieren. Den Kunden sollen die Reklamationen im Halse stecken bleiben.
9. *Entscheiden Sie nie etwas am Telefon.* Woher wollen Sie wissen, daß Ihre Entscheidung richtig ist und karrieretaktisch zweckmäßig? Die meisten Vorgesetzten telefonieren ohnehin sehr gerne, warum soll man ihnen die Chance stehlen?
10. Sagen Sie der Telefonistin nicht, wer für was im Hause zuständig ist. Er selbst und seine Kollegen könnten es erfahren und dann geht *der Kampf um den Organisationsplan* wieder von Neuem los.

11. Die meisten Anrufe, die kommen, sind unwichtig. Lassen Sie deshalb Rückrufe versprechen und *vergessen Sie* diese *Rückrufe*. Die Anrufe erledigen sich dann fast immer von selbst.
12. Und wenn Sie einmal nicht arbeiten wollen, dann telefonieren Sie. Das ist *Arbeitsentlastung* in ihrer schönsten Form – neben dem Unterschreiben der Post.
13. Erledigen Sie Ihre Anrufe möglichst in der *Mittagspause,* dann besteht nicht die Gefahr, daß Sie jemanden erreichen und dadurch Zeit verlieren.
14. *Telefonieren wird erst durch Privatgespräche schön.* Nichts fördert das Betriebsklima mehr, als die Nutzung des Geschäftstelefons für Privatgespräche.
Durch die freudigen Botschaften, die die Mitarbeiter in diesen Gesprächen empfangen, werden sie gelockert, optimistisch und mit ihren Gedanken ganz und gar auf ihre berufliche Tätigkeit gelenkt.
15. Auch beim Telefonieren sollte man seine *persönlche Note* haben – den Telefonhörer nicht so halten, wie alle anderen.
Der Individualist hält den Hörer verkehrt herum und der feine Mann deckt die Sprechmuschel zu. Der dynamische Typ brüllt und der Deprimierte nuschelt.
16. Die meisten Menschen leben so unter Zeitdruck, daß man ihnen eine kleine Erholungspause gönnen muß. Deshalb ist es *unfair, einen Anrufer zu schnell weiterzuverbinden.* Im übrigen nimmt man ihm dadurch die Chance, sich während der Wartezeit auf das zu führende Gespräch vorzubereiten.
17. Niemals sollte man einen Anrufer direkt mit der Person verbinden, die ihm helfen könnte. Das wäre verkaufspsychologisch falsch. Der Anrufer sollte merken, daß sich die ganze Firma um ihn kümmert. *4 Stationen sollte er mindestens passieren,* das beeindruckt.
18. *Unterbrechen Sie* Ihren Gesprächspartner laufend. Bringen Sie dadurch das Gespräch in geordnete Bahnen. Sie wissen ohnehin weit besser als er, was er eigentlich sagen möchte.
19. *Vertrauliche Anrufe* mit Mitarbeitern führt man am zweckmäßigsten, wenn sie Besuch haben. Da wird der Besucher endlich veranlaßt, seine eigenen Probleme zu vergessen und sich auf die interessanten Fragen der besuchten Firma zu konzentrieren.
20. Zeigen Sie durch Ihr Telefonverhalten anrufenden Kunden, daß Ihre Firma *nicht unbedingt auf jeden Kunden angewiesen* ist.
Auf diese Weise können Sie die Eliminierung der kleinen Kunden beschleunigen, kommen endlich von den langen Lieferfristen herunter und brauchen keine kostspieligen Investitionen zur Erweiterung Ihrer Kapazität vornehmen.

3. Professionelles Telefonieren

1. Organisieren Sie Ihr Telefonverhalten und Ihre telefonischen Beziehungen besser.
2. Analysieren Sie hierzu Ihr eigenes Telefonverhalten und das Ihrer Gesprächspartner. Wenn Sie das nur einen Tag lang tun, dann gewinnen Sie eine Fülle von Verbesserungshinweisen.
3. Fragen Sie die Personen, mit denen Sie häufig zu telefonieren haben,
   a) wann sind Sie telefonisch am besten zu erreichen?
   b) unter welcher Telefonnummer?
   c) wann sind Sie schwer zu erreichen oder gar nicht?
   d) wem kann ich Informationen geben oder von wem bekomme ich Informationen, wenn ich Sie nicht erreiche?
4. Informieren Sie Ihre häufigen Gesprächspartner in gleicher Weise.
   a) Ich bin am günstigsten zu erreichen zu folgenden Zeiten:
   b) Am besten erreichen Sie mich über folgende Telefonnummer:
   c) Ich bin schwer oder gar nicht zu erreichen zu folgenden Zeiten:
   d) Wenden Sie sich in meiner Abwesenheit am besten an:
5. Wenn Sie es einige Tage durchhalten, jeden häufigen Telefonpartner am Ende eines Telefonats so zu informieren, dann sind Sie bei Ihrer persönlichen Entlastung einen großen Schritt vorangekommen.
   a) Sie haben Kontaktzeiten festgelegt, in denen Sie hauptsächlich telefonieren.
   b) Sie haben störarme Zeitabschnitte gewonnen, in denen Sie konzentriert arbeiten können.
6. Lernen Sie die Mitarbeiter Ihrer Telefonpartner kennen.
   Merken Sie sich deren Namen.
   Halten Sie zu ihnen liebenswürdigen Kontakt.
7. Führen Sie nicht wegen jedes einzelnen Punktes auch ein einzelnes Telefonat.
   Sammeln Sie mehrere Punkte und erledigen Sie diese in einem Telefonat.
8. Prüfen Sie, ob das Telefonat, das Sie gerade führen wollen, wirklich erforderlich ist.
9. Schieben Sie notwendige Telefonate nicht immer wieder hinaus.
   Es wird dann immer schwerer, die Telefonnummer desjenigen, der Ihren Anruf erwartet, zu wählen.
10. Führen Sie vorbeugende Telefonate.
    Geben Sie es telefonisch vorher durch, wenn Sie eine Zusage nicht einhalten können.
    Warten Sie nicht, bis man Sie nach Verstreichen des Termins für die Zusage anruft.
11. Bereiten Sie sich auf jedes Telefonat gründlich vor.
    a) Schreiben Sie leserlich auf, was Sie besprechen wollen.
    b) Legen Sie die Unterlagen gut gegliedert und übersichtlich bereit.
    c) Welche Fragen könnte Ihnen Ihr Gesprächspartner stellen? Bereiten Sie sich so vor, daß Sie diese Fragen sofort beantworten können.
    d) Fragen Sie sich, was Sie bei ähnlichen Telefonaten, wie dem, das Sie gerade führen wollen, immer erst heraussuchen mußten.
    Was muß also vorher studiert werden, was muß bereitgelegt werden?
12. Melden Sie sich deutlich am Telefon.
    Tun Sie das mit den Informationen, die erfahrungsgemäß den Angerufenen Sie sofort erkennen lassen. Welche Form der Meldung zündet am schnellsten?

13. Fragen Sie Ihren Gesprächspartner, ob er frei sprechen kann und ob ihm der Zeitpunkt für das Gespräch angenehm ist.

14. Sagen Sie, wie lange von Ihrer Seite aus das Gespräch etwa dauern wird. „Haben Sie 3 Minuten für mich Zeit?"

15. Nennen Sie mit Stichworten und Formulierungen bei denen Ihr Gesprächspartner sofort schaltet, die Themen, die Sie gerne besprechen möchten.

16. Wenn für die Besprechung dieser Themen auch eine Vorbereitung Ihres Gesprächspartners erforderlich ist,
    a) dann schreiben Sie ihm vorher
    b) oder rufen Sie ihn kurz an, um damit ein späteres, auch von seiner Seite her vorbereitetes Gespräch erfolgreich führen zu können.

17. Setzen Sie das Telefon ein, um persönliche Gespräche und Konferenzen besser vorzubereiten:
    a) Nennen Sie das Ziel der Besprechung.
    b) Sagen Sie welche Themen besprochen werden sollen und warum.
    c) Sagen Sie, wie Sie sich selber vorbereiten werden.
    d) Machen Sie Vorschläge für die Vorbereitung des anderen.
    e) Sagen Sie, wie lange die Besprechung dauern wird.
    f) Erkundigen Sie sich, wann und wie Ihr Partner anreist und zu welchem Zeitpunkt er zurückreisen muß. (Dann wissen Sie besser über die nur zur Verfügung stehende Zeit Bescheid)

18. Telefonieren Sie diszipliniert.
    a) Geplante Reihenfolge der zu behandelnden Punkte.
    b) Kein Themen-Hin- und Her.
    c) Betont deutlich.
    d) Saubere Aussprache.
    e) Zusammenfassende Wiederholung der Ergebnisse.
    f) Wiederholung dessen, was Sie versprochen haben und was Ihr Gesprächspartner versprochen hat.

19. Schreiben Sie sich wichtige Informationen sofort auf.

20. Schreiben Sie unter allen Umständen auf, was Sie in diesem Telefonat versprechen.

21. Sprechen Sie ruhig.

22. Benutzen Sie eine wechselnde Lautstärke, Betonung und Pausen, um dem anderen das Verstehen zu erleichtern.

23. Unterlassen Sie jede Verwirrung.

24. Lassen Sie sich während des Gespräches nicht ablenken durch Ihre eigene Umgebung.

25. Konzentrieren Sie sich völlig auf das Telefonat.

26. Wiederholen Sie sich nicht laufend.

27. Helfen Sie Ihrem Gesprächspartner dabei, Zeit zu sparen.

28. Helfen Sie Ihrem Gesprächspartner dabei, mit seiner Arbeit und mit seinen Entscheidungen voranzukommen.

29. Erweisen Sie ihm Gefälligkeiten, in dem Sie etwas für ihn erledigen, was Sie weit schneller und bequemer schaffen können, als er selbst.

30. Setzen Sie Telefonate stärker ein, um weniger reisen zu müssen.
Es ist erstaunlich, wieviele Probleme sich telefonisch erledigen lassen, wenn sich beide Gesprächspartner hervorragend auf ein intensives Telefonat vorbereitet haben.
Die meisten Führungskräfte können sich einen Reisetag pro Monat durch gründlich vorbereitete, intensive Telefonate sparen. (Ergebnis einer Befragung von Führungskräften!)

31. Tun Sie alles, was in Ihrer Macht steht, damit das Telefonverhalten in Ihrer Organisation verbessert wird.
   a) Helfen Sie nachdrücklich, Anrufern Zeit und Geld zu sparen.
   b) Handeln Sie bemühter und hilfsbereiter.
   c) Sorgen Sie für mehr Freundlichkeit und Fröhlichkeit.
   d) Organisieren Sie sich so, daß die Anliegen eines Anrufers schnell und wirkungsvoll erledigt werden können.

32. Wenn Sie das Telefonverhalten in Ihrer Organisation freundlicher, disziplinierter und effektiver gestalten, dann heben Sie sich von vielen Organisationen ab.
Sie gehören dann zu den Goldenen Zwanzigern. Denn achtzig Prozent aller Organisationen sind in ihrem Telefonverhalten eine reine Klippschule.

Telefon-Analyse

7^{00}		11^{00}		15^{00}	
05		05		05	
10		10		10	
15		15		15	
20		20		20	
25		25		25	
30		30		30	
35		35		35	
40		40		40	
45		45		45	
50		50		50	
55		55		55	
8^{00}		12^{00}		16^{00}	
05		05		05	
10		10		10	
15		15		15	
20		20		20	
25		25		25	
30		30		30	
35		35		35	
40		40		40	
45		45		45	
50		50		50	
55		55		55	
9^{00}		13^{00}		17^{00}	
05		05		05	
10		10		10	
15		15		15	
20		20		20	
25		25		25	
30		30		30	
35		35		35	
40		40		40	
45		45		45	
50		50		50	
55		55		55	
10^{00}		14^{00}		18^{00}	
05		05		05	
10		10		10	
15		15		15	
20		20		20	
25		25		25	
30		30		30	
35		35		35	
40		40		40	
45		45		45	
50		50		50	
55		55		55	

4. Bessere Vorbereitung auf Telefonate

Einige Hauptmängel bei Gesprächen: Zu langatmig – zu wenig überlegt, geordnet und präzise. Unwichtiges und Wichtiges zu einem Eintopf zusammengekocht – wichtige Punkte werden vergessen – Suchaktionen nach Unterlagen werden während des Gespräches unternommen...

Folgen: Zeitverschwendung – hohe Telefonrechnungen – negativer Eindruck bei den Gesprächspartnern – Zweck der Telefonate und Gespräche wird nicht erreicht.

Ursache: Schlechte Gesprächsvorbereitung.

Abhilfe: Verwendung eines Formulars für die Vorbereitung wichtiger Gespräche. Diese Gespräche sind es wert, daß man sie vorher überdenkt und sich vorher geordnet Notizen macht.
Dieses Formular ist ein ausgezeichnetes Erziehungs-Instrument zur Präzision:

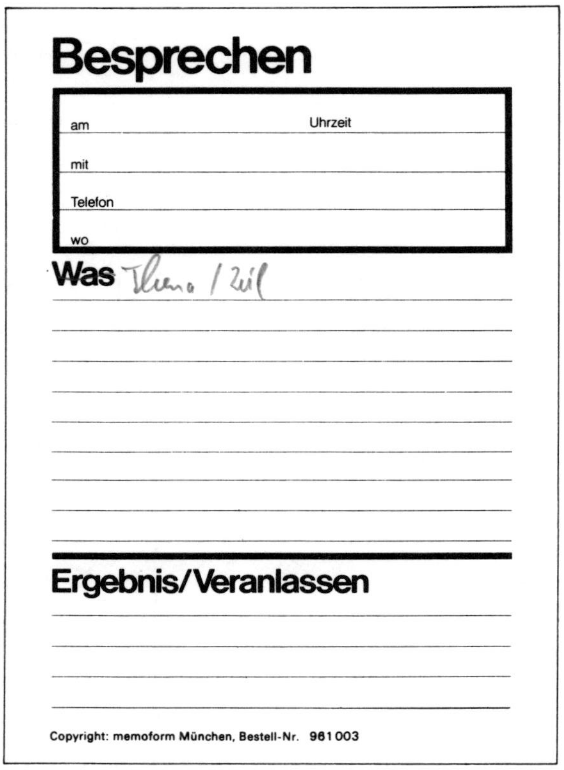
Besprechen

am Uhrzeit

mit

Telefon

wo

Was Thema / Ziel

Ergebnis/Veranlassen

Copyright: memoform München, Bestell-Nr. 961003

Ausführlichere Information über erhaltene Anrufe.

Was man Ihnen schreibt, das haben Sie schwarz auf weiß. Wie ist es jedoch mit den Telefonaten, die man für Sie entgegennimmt? In welchem Zustand wird Ihnen der Inhalt des Telefonates übermittelt? Erhalten Sie die Informationen so, daß Sie sinnvoll und schnell reagieren können?

Oder müssen Sie sich selbst immer wieder mit der Suche nach Antworten auf Fragen folgender Art belasten?

1. Hat man mir alle wichtigen Anrufe übermittelt – oder wurde vergessen, mir einen Anruf auszurichten?
2. Welche Firma hat angerufen?
3. Welche Abteilung?
4. Wer hat angerufen – wie schreibt sich sein Name genau – wie lautet sein Titel – welche Position hat er inne?
5. Wann hat er angerufen?
6. Wer hat das Gespräch entgegengenommen?
7. Was wünscht der Anrufer im einzelnen?
8. Welche Nachricht ließ er übermitteln?
9. Was wurde ihm zugesagt?
10. Was hat zu geschehen?
11. Wann ist er am besten zu erreichen?
12. Wie lautet die Telefon-Nummer – die Nummer der Nebenstelle – die Durchwahl-Nummer?

An
Datum
Uhrzeit
Erhaltener Anruf
von
Herr/Frau/Frl.
Telefon
ruft wieder an
wann
rief zurück
erbittet Rückruf
wann
möchte Sie treffen
Erledigt:

Belasten Sie sich nicht immer wieder mit dem Herausfinden der Antworten auf einige dieser Fragen. Mit einem einzigen Formular können Sie dafür sorgen, daß die Informationen über einen für Sie entgegengenommenen Anruf zwangsläufig komplett sind und Sie darüber hinaus auch für später eine informative Unterlage haben.